D1483983

Le petit mercure

Suivi éditorial par Jean-Michel Décimo

Le goût du Canada

Textes choisis et présentés
par Thierry Clermont

Mercure de France

© Mercure de France, 2012, pour la préface,
les présentations et les commentaires

ISBN 978-2-7152-3195-5

SOMMAIRE

Le goût du Canada

EN POÉSIE

PRÉFACE

Bien souvent, trop souvent, le Canada, c'est-à-dire pour les Français, le Québec, est réduit à quelques clichés qui ont la vie dure. Outre l'accent qui nous fait sourire et les expressions qui semblent sortir de nos campagnes au temps l'Ancien régime, le Québec se limite dans nos esprits à des noms de chanteurs (Robert Charlebois, Diane Dufresne, Céline Dion…), d'humoristes, de spectacles (*Star Mania* à la fin des années 70, la compagnie « Le cirque du Soleil »). Les cinéphiles auront pour leur part retenu le succès du *Déclin de l'empire américain.* Les plus anciens ont, eux, gardé en mémoire l'exclamation du général de Gaulle : « Vive le Québec libre ! ». Un vœu d'indépendance qui a bien failli se réaliser il y a quelques petites années, au grand dam de ceux qui se battent mordicus pour l'autonomie d'une province qui défend la langue française, contre la menace fédéraliste.

Du côté des paysages, les automnes sont des étés indiens, avec leurs feuilles d'érables qui rougissent et jaunissent ; les hivers sont neigeux et rigoureux ; les étés, chauds et accablants ; les lacs y sont grands, d'où leur nom… Bien sûr, le Canada c'est tout cela, mais pas seulement. Même s'il est vaste et étendu comme un continent.

La partie anglophone, majoritaire, est beaucoup moins connue, même si des villes comme Vancouver ou Ottawa peuvent prêter au rêve. D'ailleurs, c'est tout le pays qui est marqué par le bilinguisme. À Montréal, au cœur du Québec, on passe aisément de la langue de Shakespeare à celle de Molière. À Toronto, plus d'un habitant sur dix parle français. Sans parler des autres idiomes, venus d'Asie principalement. Le flâneur français pourra même être surpris d'entendre sa langue métropolitaine parsemée de mots ou d'expressions anglaises, comme les aiment nos « cousins d'Amérique ». Si l'on tient à dire « courriel » en lieu et place d'« email », ou une « rôtie » pour un « toast », on ne manquera pas d'entendre ici ou là, en pleine francophonie, « gang » pour désigner un groupe d'amis, ou « catcher » pour signifier « comprendre ». Une romancière a su jouer avec ces allers et retours linguistiques, c'est Nancy Huston, à l'aise parfaitement dans les deux langues.

La balade littéraire qui suit permettra aux curieux de se familiariser à la fois avec l'histoire de ce terri-toire du « Nouveau Monde », ses paysages (urbains ou champêtres), dans toute leur complexité et diversité ; sa poésie (comme le prouve le succès du festival organisé chaque année à Trois-Rivières), ses tics de langage *fleur-delysé*. L'occasion de se familiariser avec de grands noms comme Victor-Lévy Beaulieu, Réjean Ducharme, Michel Tremblay ou Margaret Atwood.

Enfin, nous avons également convié à cette flânerie des écrivains français tombés sous le charme de la « Belle province » (Blaise Cendrars, Michel Tournier et, avant eux, Chateaubriand).

En route donc, direction Québec, Vancouver, Montréal, Trois-Pistoles, le Saint-Laurent, Winnipeg, les îles de la Madeleine, Gabriola ou la mythique Acadie...

Thierry CLERMONT

AU TEMPS JADIS

Étangs, rivières, caps et îles

Surcouf, Duguay-Trouin, Jacques Cartier... Les plus illustres navigateurs-explorateurs de France sont natifs de Saint-Malo la cité bretonne. Malgré les hostilités des armateurs malouins, Jacques Cartier posera le pied sur le sol de la « Nouvelle France » au printemps 1534, tout au nord, du côté de Terre-Neuve. Âgé alors de 33 ans, il fait le récit précis de ses découvertes en compagnie de ses hommes d'équipages, nommant ou baptisant les différents lieux mis à jour (cap Saint-Pierre, rivière des Barques, île de Brion...).

Le lendemain, nous longeâmes cette terre, sur environ dix lieues, jusqu'à un cap de terre rouge, qui est un cap rogné, au-dedans duquel il y a une anse, qui est orientée vers le nord, avec des hauts-fonds. Il y a un sillon de galets, qui est entre la mer et un étang. De ce cap de terre et étang à un autre cap de terre, il y a environ quatre lieues. La terre fait un demi-cercle, tout bordé de bancs de sable, comme un fossé ; par-dessus et au-delà duquel il y a comme des marais et des étangs, aussi loin que l'on peut voir. Et avant d'arriver au premier cap, il y a deux petites îles, assez près de la terre. Et à cinq lieues du second cap, il y a une île au sud-ouest, qui est très haute et pointue, qui par nous fut nommée *Allezay*. Le premier cap fut nommé le *cap Saint-Pierre*, parce que nous y arrivâmes le jour dudit saint.

Depuis l'île de Brion jusqu'audit lieu, il y a un beau fond de sable, et d'une profondeur égale, qui diminue régulièrement comme l'on approche de terre. À cinq lieues de terre, il y a vingt-cinq brasses, et à une lieue douze brasses ; au bord du rivage, environ six brasses, plutôt plus que moins ; et partout beau fond. Et comme nous voulions avoir plus ample connaissance dudit parage, nous mîmes les voiles bas et en travers.

Et le lendemain, avant-dernier jour dudit mois, le vent vint au sud, quart sud-ouest, et nous nous dirigeâmes vers l'ouest, jusqu'au mardi, dernier jour dudit mois, soleil à l'est, sans avoir connaissance d'aucune terre, sauf que le soir, au soleil couchant, nous vîmes une terre qui apparaissait comme deux îles, à l'ouest sud-ouest, à environ neuf ou dix lieues. Et ce jour-là nous nous dirigeâmes vers l'ouest jusqu'au lendemain, soleil à l'est, environ quarante lieues. Et chemin faisant, nous eûmes connaissance de ladite terre, qui nous avait apparu comme deux îles, qui était la terre ferme et se trouvait sud sud-est et nord nord-ouest jusqu'à un cap de terre, très beau, nommé *cap d'Orléans*.

Toute cette terre est basse et unie, la plus belle qu'il soit possible de voir, et pleine de beaux arbres et prairies ; mais dans celle-ci nous ne pûmes trouver de havre, parce que c'est une basse terre, avec des hauts-fonds, et toute bordée de sable. Nous y fûmes en plusieurs lieux avec nos barques ; et entre autres dans une belle rivière, de peu de fond, où nous vîmes des barques de sauvages, qui traversaient ladite rivière qui, pour cette raison, fut nommée *rivière des Barques.* Et nous n'eûmes pas d'autre connaissance d'eux car le vent vint de la mer, soufflant vers la côte, et il nous fallut nous retirer avec nos barques vers nos navires.

Voyages au Canada

Au total, Jacques Cartier a effectué trois voyages au Canada, à bord de la *Petite Hermine*, de la *Grande Hermine* et de *L'Emerillon*. L'essentiel de ses explorations concerne le golfe et le cours du Saint-Laurent (qui s'étend sur plus de mille kilomètres, reliant les Grands lacs au Pacifique). À cette époque, Montréal s'appelait encore Hochelga, et le Saint-Laurent «la rivière qui marche» (selon les Amérindiens) ou encore «la rivière des Morues».

SAMUEL CHAMPLAIN

En chaloupe dans les rapides

Surnommé le « père de la Nouvelle France », l'explorateur et cartographe français Samuel Champlain a fondé la ville de Québec en 1608, sous le règne de Henri IV. Abordant les rivages canadiens une première fois en 1603, il fit pas moins de onze traversées durant sa vie, allant jusqu'aux lacs Huron et Ontario. À chacun de ses retours en France, il en rapporta des récits et des cartes, constituant une trentaine d'années de témoignages. Ici, dans ce qui constitue une sorte de Journal géographique, il nous raconte la fondation de la ville de Québec, après moult péripéties, la première et l'unique cité fortifiée d'Amérique du Nord.

Le lendemain, nous partîmes tous ensemble pour rejoindre notre habitation, où ils se réjouirent pendant cinq ou six jours qui se passèrent en danses et en festins, pour honorer le désir qu'ils avaient que nous allions à la guerre.

Dupont-Gravé vient de Tadoussac, ils équipent deux barques, Champlain dans l'une, Dupont-Gravé dans l'autre, et ils décident de se séparer, Dupont repartant à Tadoussac, Champlain s'en allant dans sa chaloupe avec neuf hommes, ainsi que des Marais et le capitaine La Routte (ils sont douze en plus du matériel) pour accompagner les sauvages.

Champlain part ainsi le 3 juin, de Sainte-Croix vers le lac Saint-Pierre.

Continuant notre route jusqu'à l'entrée du lac Saint-Pierre, qui est un pays fort plaisant et uni, nous traversâmes le lac à deux, trois et quatre brasses d'eau – lequel peut avoir quelque huit lieues de long et quatre de large. Du côté du nord, nous vîmes une rivière qui est fort agréable, qui va dans les terres sur environ vingt lieues, et que j'ai nommée Sainte-Suzanne. Du côté du sud, il y en a deux, l'une appelée la rivière du Pont, et l'autre de Gennes, elles sont très belles et sont en beau et bon pays. L'eau est presque dormante dans le lac, qui est fort poissonneux. Du côté du nord, apparaissent des terres qui montrent quelques reliefs montagneux à quelque douze ou quinze lieues du lac. Ayant traversé celui-ci, nous passâmes par un grand nombre d'îles, de grandeurs variées, où il y a quantité de noyers et de vignes, et de belles prairies avec force gibier et animaux sauvages qui vont de la grande terre aux dites îles. La pêche du poisson y est plus abondante qu'en aucun autre lieu de la rivière que nous ayons vu. De ces îles, nous arrivâmes à l'entrée de la rivière des Iroquois, où nous séjournâmes deux jours de façon à nous ravitailler de bonnes venaisons, oiseaux et poissons que nous donnaient les sauvages. Là, il se produisit entre eux un différend sur le sujet de la guerre, ce qui eut pour résultat qu'une partie seulement se décida à venir avec moi, tandis que les autres s'en retournèrent dans leur pays avec leurs femmes et les marchandises qu'ils avaient traitées. Partant de cette entrée de rivière (qui a quelque quatre à cinq cents pas de large et qui est fort belle, courant vers le sud), nous arrivâmes à un lieu distant de vingt-deux ou vingt-trois lieues des trois rivières, et qui se situe à hauteur de 45 degrés de latitude. Toute cette rivière, depuis son entrée jusqu'au premier saut, sur quinze lieues, est fort plate et environnée de bois des mêmes espèces, comme sont tous les autres lieux déjà nommés. Il y a neuf ou dix belles îles jusqu'au saut des Iroquois, îles de quelque lieue, ou lieue et demie, recouvertes de quantité de chênes et de noyers. La rivière s'étend en certains endroits sur près d'une demi-lieue de large ; elle est très poissonneuse. Nous ne trouvâmes pas moins de quatre pieds de profondeur d'eau. L'entrée du saut forme en quelque manière un lac, où l'eau descend, qui compte presque trois lieues de circonférence, et il y a quelques prairies où n'habite aucun sauvage, à cause des guerres. Au saut, il y a fort peu d'eau, mais elle court à grande vitesse, sur quantité de rochers et de cailloux, ce qui fait que les sauvages ne peuvent pas le remonter par l'eau ; mais, au retour, ils le descendent fort bien. Tout ce pays est fort uni, rempli de forêts, vignes et noyers. Aucun chrétien n'était encore parvenu jusqu'en ce lieu : nous étions les seuls, et nous eûmes beaucoup de mal à remonter la rivière à la rame.

Voyages au Canada

Après avoir longuement combattu les indiens Iroquois, Champlain a été nommé lieutenant général de Québec, en 1612. Sous son impulsion, le monopole des fourrures passe sous le contrôle du prince de Condé, directeur de la compagnie du Canada. Champlain meurt en 1635 dans la ville de Québec, soit trois ans après que les Anglais ont restitué ce territoire à la France.

CHATEAUBRIAND

Hurons et Iroquois

En 1791, le jeune Chateaubriand, sur le chemin de l'exil, parcourt les États-Unis et le nord du continent américain. Il évoque son séjour en Nouvelle-France à l'âge de vingt-trois ans, dans son premier ouvrage, Génie du Christianisme, *qui sera publié en 1802. Bien plus tard, dans ses* Mémoires d'outre-tombe, *il rappellera sa rencontre avec un vieux* sachem *iroquois près du lac des Onondagas, et chantera, émerveillé, les « prairies peinturées de papillons et de fleurs ». Dans les pages qui suivent, Chateaubriand évoque, avec un brin de naïveté, les Indiens Hurons et Iroquois, ainsi que l'ennemi anglais.*

Nous ne nous arrêterons point aux missions de la Californie, parce qu'elles n'offrent aucun caractère particulier, ni à celles de la Louisiane, qui se confondent avec ces terribles missions du Canada, où l'intrépidité des apôtres de Jésus-Christ a paru dans toute sa gloire.

Lorsque les Français, sous la conduite de Champlain, remontèrent le fleuve Saint-Laurent, ils trouvèrent les forêts du Canada habitées par des Sauvages bien différents de ceux qu'on avait découverts jusqu'alors au Nouveau-Monde. C'étaient des hommes robustes, courageux, fiers de leur indépendance, capables de raisonnement et de calcul, n'étant étonnés ni des mœurs des Européens, ni de leurs armes, et qui, loin de nous admirer, comme les innocents Caraïbes, n'avaient pour nos usages que du dégoût et du mépris.

Trois nations se partageaient l'empire du désert : l'Algonquine, la plus ancienne et la première de toutes, mais qui, s'étant attiré la haine, par sa puissance, était prête à succomber sous les armes des deux autres ; la Huronne, qui fut notre alliée, et l'Iroquoise notre ennemie.

Ces peuples n'étaient point vagabonds ; ils avaient des établissements fixes, des gouvernements réguliers. Nous avons eu nous-mêmes occasion d'observer, chez les Indiens du Nouveau-Monde, toutes les formes de constitutions des peuples civilisés : ainsi les Natchez, à la Louisiane, offraient le despotisme dans l'état de nature, les Creecks de la Floride la monarchie, et les Iroquois au Canada le gouvernement républicain.

Ces derniers et les Hurons représentaient encore les Spartiates et les Athéniens dans la condition sauvage : les Hurons, spirituels, gais, légers, dissimulés toutefois, braves, éloquents, gouvernés par des femmes ; abusant de la fortune, et soutenant mal les revers, ayant plus d'honneur que d'amour de la patrie ; les Iroquois séparés en cantons que dirigeaient des Vieillards, ambitieux, politiques, taciturnes, sévères, dévorés du désir de dominer, capables des plus grands vices et des plus grandes vertus, sacrifiant tout à la patrie, les plus féroces et les plus intrépides des hommes.

Aussitôt que les Français et les Anglais parurent sur ces rivages, par un instinct naturel, les Hurons s'attachèrent aux premiers ; les Iroquois se donnèrent aux seconds, mais sans les aimer ; ils ne s'en servaient que pour se procurer des armes. Quand leurs nouveaux alliés devenaient trop puissants, ils les abandonnaient; ils s'unissaient à eux de nouveau, quand les Français obtenaient la victoire. On vit ainsi un petit troupeau de Sauvages se ménager entre deux grandes nations civilisées, chercher à détruire l'une par l'autre, toucher souvent au moment d'accomplir ce dessein, et d'être à la fois le maître et le libérateur de cette partie du Nouveau-Monde.

Tels furent les peuples que nos missionnaires entre-prirent de nous concilier par la religion. Si la France vit son empire s'étendre en Amérique, par de-là les rives du Meschacebé, si elle conserva si longtemps le Canada contre les Iroquois et les Anglais unis, elle dut presque tous ses succès aux Jésuites. Ce furent eux qui sauvèrent la colonie au berceau, en plaçant pour boulevard devant elle un village de Hurons et d'Iro-quois chrétiens, en prévenant des coalitions générales d'Indiens, en négociant des traités de paix, en allant seuls s'exposer à la fureur des Iroquois, pour traverser les desseins des Anglais. Les gouverneurs de la Nouvelle-Angleterre ne cessent dans leurs dépêches de peindre nos missionnaires comme leurs plus dangereux ennemis : « Ils déconcertent, disent-ils, les projets de la puissance Britannique; ils découvrent ses secrets, et lui enlèvent le cœur et les armes des Sauvages. »

La mauvaise administration du Canada, les fausses démarches des commandants, une politique étroite ou oppressive, mettaient souvent plus d'entraves aux bonnes intentions des Jésuites, que l'opposition de l'ennemi. Présentaient-ils les plans les mieux concertés pour la prospérité de la colonie, on les louait de leur zèle, et l'on suivait d'autres avis. Mais aussitôt que les affaires devenaient difficiles, on recourait à ces mêmes hommes, qu'on avait si dédaigneusement repoussés. On ne balançait point à les employer dans des négociations dangereuses, sans être arrêté par la considération du péril auquel on les exposait : l'histoire de la Nouvelle-France en offre un exemple remarquable.

La guerre était allumée entre les Français et les Iroquois : ceux-ci avaient l'avantage; ils s'étaient avancés jusque sous les murs de Québec, massacrant et dévorant les habitants des campagnes. Le Père Lamberville était en ce moment même missionnaire chez les Iroquois. Quoique sans cesse exposé à être brûlé vif par les vainqueurs, il n'avait pas voulu se retirer, dans l'espoir de les ramener à des mesures pacifiques, et de sauver les restes de la colonie; les Vieillards l'aimaient et l'avaient protégé contre les Guerriers.

Génie du Christianisme

JACK LONDON

La ruée vers l'or

Été 1897 : en quelques semaines, plusieurs dizaines de milliers de « chercheurs de fortune » se dirigent vers Dawson City. Une localité perdue dans le grand Nord, aux confins de l'Alaska, au confluent de la Klondike et du fleuve Yukon (qui a donné son nom à cette région). Tous se ruent vers l'or, des monceaux d'or dit-on! Le jeune Jack London est parmi eux. Il en tirera un magnifique récit d'aventures, L'appel de la forêt (« The Call of the Wild »), un des chefs-d'œuvre de la littérature mondiale, depuis sa publication en 1903. On surnommera Jack London « le Kipling du Froid ». Le héros du roman a pour nom Buck, et c'est un chien...

Sept jours après son entrée à Dawson, la caravane descendait les pentes abruptes des Barraks, sur les bords du Yukon, et repartait pour Dyea et Salt-Water. Perrault emportait des dépêches plus importantes encore que les premières; la passion de la route l'avait saisi à son tour, et il voulait cette année-là battre le record des voyages. Plusieurs circonstances lui étaient favorables : le bagage était léger, la semaine de repos avait remis les chiens en état, la voie tracée était battue par de nombreux voyageurs et, de plus, la police avait établi deux ou trois dépôts de provisions pour les hommes et les chiens. Ils firent dans leur première étape Sixty-Mile, ce qui est une course de soixante miles, et le second jour franchirent le Yukon dans la direction de Pelly. Mais cette course rapide ne s'accomplit pas sans beaucoup de tracas et d'ennuis pour François. La révolte insidieusement fomentée par Buck avait détruit l'esprit de solidarité dans l'attelage, qui ne marchait plus comme un seul chien.

L'encouragement sourdement donné aux rebelles les poussait à toutes sortes de méfaits. Spitz n'était plus un chef à redouter; il n'inspirait plus le respect, et son autorité était discutée.

Pike lui vola un soir la moitié d'un poisson et l'avala sous l'œil protecteur de Buck. Une autre nuit, Dub et Joe se battirent avec Spitz et lui firent subir le châtiment qu'ils méritaient eux-mêmes à juste titre; Billee le pacifique devenait presque agressif, et Buck lui-même ne montrait pas toute la magnanimité désirable. Fort de sa supériorité, il insultait ouvertement l'ennemi qui naguère le faisait trembler, et, pour tout dire, agissait un peu en bravache.

Le relâchement de la discipline influait même sur les rapports des chiens entre eux. Ils se disputaient et se querellaient sans cesse. Seuls, Dave et Sol-lecks ne changeaient pas, tout en subissant le contre coup de ces luttes perpétuelles. François avait beau jurer comme un diable en sa langue barbare, frapper du pied, s'arracher les cheveux de rage et faire constamment siffler son fouet au milieu de la meute; sitôt qu'il avait le dos tourné, le désordre recommençait. Il appuyait Spitz de son autorité, mais Buck soutenait de ses dents le reste de l'attelage. François devinait qu'il était au fond de tout ce désordre, et Buck se savait soupçonné, mais il était trop habile pour se laisser surprendre. Il travaillait consciencieusement, car le harnais lui était devenu très cher ; mais il éprouvait un bonheur plus grand encore à exciter ses camarades et à semer ainsi le désordre dans les rangs.

À l'embouchure de la Tahkeena, un soir après souper, Dub fit lever un lapin et le manqua. Aussitôt la meute entière partit en chasse. Cent mètres plus loin, cinquante chiens indigènes se joignirent à la bande. Le lapin se dirigea vers la rivière et tourna dans un petit ruisseau dont il remonta rapidement la surface gelée ; il courait léger sur la neige, tandis que les chiens enfonçaient à chaque pas. La forme superbe de Buck se détachait en tête de la bande sous la clarté pâle de la lune, mais toujours devant lui bondissait le lapin, semblable à un spectre hivernal.

Ces instincts anciens, qui à des périodes fixes poussent les hommes à se rendre dans les bois et les plaines pour tuer le gibier à l'aide de boulettes de plomb, ces instincts vibraient en Buck, mais combien plus profonds ! Poursuivre une bête sauvage, la tuer de ses propres dents et plonger son museau jusqu'aux yeux dans le sang âcre et chaud, tout cela constituait pour lui une joie intense, quintessence de sa vie même. À la tête de sa horde, il faisait résonner le cri de guerre du loup en s'efforçant d'atteindre la forme blanche qui fuyait devant lui au clair de lune.

L'appel de la forêt,
traduit de l'anglais par Mme de Galard
D.R.

Au temps jadis

En 1915, un an avant sa mort prématurée, Jack London confiera : « C'est au Klondike que je me suis découvert moi-même. Là, personne ne parle. Tout le monde pense. Chacun prend sa véritable perspective. J'ai trouvé la mienne. »

LOUIS HÉMON

L'ode aux bleuets

Publié en 1914, quelques mois avant la mort prématurée de son auteur, Maria Chapdelaine *est rapidement devenu un classique des lettres québécoises et connut un vif succès en France. Roman réaliste et hymne à la nature et au terroir, il raconte l'histoire amoureuse d'une jeune femme, sorte de nièce des sœurs Brontë perdue dans les grands espaces, près du lac Saint-Jean, dans la bourgade de Péribonka. Au printemps tardif succède un été radieux, marqué par l'exubérance et l'abondance des fleurs et des fruits. Voici une véritable ode champêtre au bleuet (nos myrtilles), qui fait au Québec figure de « baie nationale ».*

Le beau temps continua et dès les premiers jours de juillet les bleuets mûrirent.

Dans les brûlés, au flanc des coteaux pierreux, partout où les arbres plus rares laissaient passer le soleil, le sol avait été jusque-là presque uniformément rose, du rose vif des fleurs qui couvraient les touffes de bois de charme ; les premiers bleuets, roses aussi, s'étaient confondus avec ces fleurs ; mais sous la chaleur persistante ils prirent lentement une teinte bleu pâle, puis bleu de roi, enfin bleu violet, et quand juillet ramena la fête de sainte Anne, leurs plants chargés de grappes formaient de larges taches bleues au milieu du rose des fleurs de bois de charme qui commençaient à mourir.

Les forêts du pays de Québec sont riches en baies sauvages; les atocas, les grenades, les raisins de cran, la salsepareille ont poussé librement dans le sillage des grands incendies; mais le bleuet, qui est la luce ou myrtille de France, est la plus abondante de toutes les baies et la plus savoureuse. Sa cueillette constitue de juillet à septembre une véritable industrie pour les familles nombreuses qui vont passer toute la journée dans le bois, théories d'enfants de toutes tailles balançant des seaux d'étain, vides le matin, emplis et pesants le soir. D'autres ne cueillent les bleuets que pour eux-mêmes, afin d'en faire des confitures ou les tartes fameuses qui sont le dessert national du Canada français.

Deux ou trois fois au début de juillet Maria alla cueillir des bleuets avec Télesphore et Alma-Rose; mais l'heure de la maturité parfaite n'était pas encore venue, et le butin qu'ils rapportèrent suffit à peine à la confection de quelques tartes de proportions dérisoires.

– Le jour de la fête de sainte Anne, dit la mère Chapdelaine en guise de consolation, nous irons tous en cueillir; les hommes aussi, et ceux qui n'en rapporteront pas une pleine chaudière n'en mangeront pas.

Mais le samedi soir, qui était la veille de la fête de sainte Anne, fut pour les Chapdelaine une veillée mémorable et telle que leur maison dans les bois n'en avait pas encore connue.

Quand les hommes revinrent de l'ouvrage, Eutrope Gagnon était déjà là. Il avait soupé, disait-il, et pendant que les autres prenaient leur repas, il resta assis près de la porte, se balançant sur deux pieds de sa chaise dans le courant d'air frais. Les pipes allumées, la conversation roula naturellement sur les travaux de la terre et le soin du bétail.

– À cinq hommes, dit Eutrope, on fait gros de terre en peu de temps. Mais quand on travaille seul comme moi, sans cheval pour traîner les grosses pièces, ça n'est guère d'avant et on a de la misère. Mais ça avance pareil, ça avance.

La mère Chapdelaine, qui l'aimait et que l'idée de son labeur solitaire pour la bonne cause remplissait d'ardente sympathie, prononça des paroles d'encouragement.

– Ça ne va pas si vite seul, c'est vrai ; mais un homme seul se nourrit sans grande dépense, et puis votre frère Égide va revenir de la drave avec deux, trois cents piastres pour le moins, en temps pour les foins et la moisson, et si vous restez tous les deux ici l'hiver prochain, dans moins de deux ans vous aurez une belle terre.

Il approuva de la tête et involontairement son regard se leva sur Maria, impliquant que d'ici à deux ans, si tout allait bien, il pourrait songer peut-être…

– La drave marche-t-elle bien ? demanda Esdras. As-tu des nouvelles de là-bas ?

– J'ai eu des nouvelles par Ferdinand Larouche, un des garçons de Thadée Larouche de Honfleur, qui est revenu de La Tuque le mois dernier. Il a dit que ça allait bien ; les hommes n'avaient pas trop de misère.

Les chantiers, la drave, ce sont les deux chapitres principaux de la grande industrie du bois, qui pour les hommes de la province de Québec est plus importante encore que celle de la terre. D'octobre à avril les haches travaillent sans répit et les forts chevaux traînent les billots sur la neige jusqu'aux berges des rivières glacées ;

puis, le printemps venu, les piles de bois s'écroulent l'une après l'autre dans l'eau neuve et commencent leur longue navigation hasardeuse à travers les rapides. Et à tous les coudes des rivières, à toutes les chutes, partout où les innombrables billots bloquent et s'amoncellent, il faut encore le concours des draveurs forts et adroits, habitués à la besogne périlleuse, pour courir sur les troncs demi-submergés, rompre les barrages, aider tout le jour avec la hache et la gaffe à la marche heureuse des pans de forêt qui descendent.

Maria Chapdelaine

Après quelques années passées en Angleterre, comme chroniqueur sportif, le romancier français Louis Hémon s'était établi à l'automne 1911 au Québec, sillonnant le pays avant de s'installer à Montréal puis à Péribonka. Il travaillait comme journalier dans une ferme, en pleine forêt, où il a recueilli les nombreuses histoires transmises par Eva, la fille de son patron, «colon migrateur». Il est mort dans l'Ontario, écrasé par un train ; il était âgé de 33 ans. Un musée lui est consacré à Péribonka, dans la maison typique de colon qu'il occupait ; une des rares qui subsistent au Québec.

Le romancier et conteur Bernard Clavel, Québécois de cœur, avait loué ainsi l'héroïne du roman et son pays : «Éternellement vivante, elle continue d'imposer aux rêveurs de mon espèce l'image fascinante d'un continent peuplé d'êtres solides et sains, de la race des pionniers, les vrais, ceux qui, en quelques générations – et en dépit du mépris qu'ont pu avoir pour eux certaines gens du Vieux Monde –, ont su pétrir un passé qui constitue le meilleur levain qu'un peuple jeune puisse espérer pour son avenir. »

En 1934, Julien Duvivier a porté *Maria Chapdelaine* à l'écran, avec dans les rôles principaux Madeleine Renaud et Jean Gabin.

DU CÔTÉ FRANÇAIS

RÉJEAN DUCHARME

Pompidou et Trudeau

À la fin des années soixante, un jeune couple bohème (André et Nicole) refont le monde reclus volontairement dans un appartement de Montréal. Marginaux évitant tout contact avec l'extérieur, ils passent leur temps à s'aimer, à regarder la télé pour mieux la dénigrer, en grignotant des chips et des dill pickles, ces gros cornichons marinés, et en écoutant des chansons des Beatles. L'extrait est tiré de L'hiver de force, *le cinquième roman de Réjean Ducharme, paru en 1973.*

Nous habitons le côté nord de l'étage d'une ancienne clinique d'oto-rhino de l'avenue de L'Esplanade. Entre les rues Duluth et Mont-Royal, cinquante vieilles belles maisons s'épaulent pour endiguer le bassin de nature déversé par la montagne ; c'est là qu'on est. Ça a été acheté à tempérament par des Grecs, Italiens, Polonais, Lituaniens, et c'est devenu des ruches à bommes[1] et à immigrants. Notre Lituanien est aide-boulanger aux Arena Bakeries ; il a aménagé la cave ; il s'y tient tranquille avec sa femme, qui ne parle pas un mot de *bilingue,* ses deux enfants, universitaires, la tuyauterie et les entrelacs de l'électricité. Les locataires du rez-de-

---

1. Clochard, vagabond. Vient de l'anglais « bum».

chaussée : ni vu ni connu. Notre voisine est une petite Allemande blonde qui a toujours l'air bête et qui roule en Ford Torino fast-back jaune moutarde (elle doit être bunny au club Playboy : elle a un lapin de collé dans une de ses petites vitres). On est persécutés parce qu'on n'est pas forts sur le ménage. Quand Extermination National Chemical vient fumiger les insectes, il voit que c'est chez nous que c'est sale, il le dit au Lituanien, le Lituanien le dit aux autres locataires, ça fait que tout le monde parle dans notre dos... Notre point de vue c'est qu'il n'y a pas une blatte pour piquer aussi fort que la petite blonde bêcheuse quand on la rencontre dans le corridor et que c'est les petites blondes bêcheuses qu'Extermination National Chemical devrait fumiger.

Notre lampe pour lire ne marche plus. L'ampoule a pété au milieu de l'Introduction de la *Flore laurentienne* du frère Marie-Victorin la nuit dernière ; elle a lancé un éclair de kodak puis elle n'a plus rien voulu savoir.

Nous mettons nos coupe-vent, nous descendons à pied dans le centre de la ville, nous entrons dans le château de la Quincaillerie Pascal. Nous aimons aller là. Nous explorons comme des cassettes les casiers débordants de clous, écrous, boulons. Nous remplissons, comme de monnaies anciennes, nos poings de vis dorées, argentées, brillantes. Ils vendent de tout. Même des poteaux télégraphiques. Mais on n'a pas le droit de monter dedans pour les essayer. (Farce platte). On ne peut pas acheter *une* ampoule de cent watts ; il y en a deux par boîte : il faut acheter le couple ou s'en passer.

Pour perdre une sorte d'excès de pas, on marche jusqu'au Forum avec nos deux lumières Sylvania. Ce n'est pas loin, mais aller-retour c'est assez pour donner faim. On s'arrête, passé un étal de motos Honda, dans un restaurant à la façade raisonnablement ordinaire. Mange le hot dog, mange les patates frites, regarde. La caissière n'est pas derrière sa caisse. Assise à deux tabourets à notre droite, elle mange un steak sur une planche à pain. L'horloge électrique est droit devant nous ; c'est une grosse face noire qu'auréole un tube de néon ; entre le 5 et le 6 de l'anneau phosphorescent des chiffres, la grande aiguille fait des très petits bonds très espacés qui lui feront rattraper la petite. Sous l'horloge gît accroché un poisson blanc aux nageoires grises, trophée de plastique vertigineusement quelconque. Son impersonnalité est si dense qu'il faut que tu regardes dix fois avant de le voir, si profonde que tu cesses de regarder aussitôt de peur qu'elle t'engloutisse.

La waitress pose la facture sur le comptoir, sens dessus dessous, guise de politesse. Je la retourne, comme rien. $ 1.62 ! Fuck ! Pour $ 1.62, boulevard Saint-Laurent, on en aurait mangé une douzaine, de hot dogs ! Ça prend tout pour ne pas qu'on se fâche, éclate, casse tout. $ 0.45 du hot dog ! Quelle cruauté ! Quelle bassesse ! Pour nous calmer, nous désarmer, nous empêcher de nous réveiller en prison, nous déplions une serviette et, sur le papier trop poreux, nous écrivons une lettre.

L'hiver de force
© Éditions Gallimard, 1973

Auteur plus que discret, sinon secret (on ne connaît de lui qu'une photo de jeunesse, comme le romancier américain Thomas Pynchon), Réjean Ducharme est né en 1941, dans la petite ville québécoise de Saint-Félix-de-Valois. À 25 ans, il remporte un énorme succès avec son

premier roman, *L'avalée des avalés*, paru en 1966, et qui a bien failli gagner le prix Goncourt. Il est considéré comme le plus grand romancier québécois, aux côtés de Victor-Lévy Beaulieu. Voici comment Jean-Marie Gustave Le Clézio avait accueilli à l'époque *L'avalée des avalés* : «Je pense que Réjean Ducharme a vraiment quelque chose d'important à dire, quelque chose qu'il cache par tous ces calembours, pirouettes, jongleries verbales, et cette timidité me plaît. [...] Il me semble que c'est dans ce genre de livres (ou d'œuvres) qu'on aperçoit le mieux le visage humain, ordinairement caché par tant de fard, parce qu'au lieu de se servir d'un langage maîtrisé, discipliné, pour se défendre, pour se justifier, l'écrivain (ou l'artiste) montre sa faiblesse, son humilité.»
Auteur d'une dizaine d'ouvrages, Réjean Ducharme n'a rien publié depuis 1999. Dans les années 70, il a écrit de nombreuses paroles de chanson pour Robert Charlebois : «C'est pas sérieux», «J'veux d'l'amour», «Tour en Gaspésie»...

ANTONINE MAILLET

Un Clochemerle québécois

Les Mercenaire, une tribu de femmes libres et sans com-
plexe, perturbent allégrement la vie d'un petit port au cœur
de l'Acadie, Les Cordes-de-Bois. Ce qui n'est pas du goût
de la famille MacFarlane. Chronique historique des années
1930, portrait haut en couleur de cette région francophone,
Les Cordes-de-Bois a été écrit par une des plus célèbres
« raconteuse-défrichteuse » du Canada, Antonine Maillet
(née en 1929). Elle y fait chanter « les mots comme la mer le
goémon », avec une douce nostalgie. Le roman a failli rem-
porter le prix Goncourt en 1977.

Si les filles du barbier savaient qu'elles furent à deux
doigts de naître aux Cordes-de-Bois, au début du siècle,
d'une garce appelée la Piroune, ou de la Bessoune,
sa fille, elles chanteraient moins haut les vêpres. Et
pourquoi pas ? Elles n'auraient pas pu naître aux
Cordes-de-Bois, les filles du barbier, si le grand-père
Guillaume, au lieu de s'en aller prendre femme à la
Barre-de-Cocagne, avait louché du côté des Mercenaire,
hein ? Nous sommes tous, au pays, à deux doigts d'un
mercenaire, d'un pirate, d'un matelot étranger échoué
sur nos côtes un dimanche matin, entre la mer qui gagne
et la mer qui perd. C'est si petit, le pays. Et des côtes,

c'est si instable. Une seule lame de trente pieds peut vous dévorer un champ de foin salé, vous baver sur la grève une tonne d'épaves avec, au hasard, un jeune marin dans les débris. Tout ça, c'est connu. Et ça vous change drôlement la topographie.

On a beau recommencer à chaque printemps le ménage de la dune, et replanter les pilotis dans le sable, et reculer les clôtures et les clayons, temps perdu. Les marées basses continueront de vider les rivières et les barachois que les marées hautes auront remplis. On a beau aussi recenser tout son monde une fois l'an, il restera toujours dans les plis d'une demi-génération une couple de petits blonds nés de père inconnu.

Les gens du pays peuvent crâner devant la mer et le ciel, ils savent que c'est un drôle de hasard qui fait naître les Belliveau dans l'anse et les Pothier au ruisseau. Un bien drôle de hasard qui a privé ceux du Pont des épous- touflants samedis soir des Cordes-de-Bois et de leurs splendides dimanches matin, juchés sur leurs travées de clôtures à regarder partir les autres pour la messe… Mais les filles du barbier, malgré la messe, remercient le ciel à genoux, chaque soir, d'être venues au monde à l'ombre du pont, au cœur du village, à trois terres au moins des Cordes-de-Bois.

Pourtant ce sont les Cordes-de-Bois qui ont la plus belle vue sur le pays. Non pas qu'elles soient grimpées sur une montagne, les cordes, faut pas prendre nos vessies pour des lanternes. D'ailleurs pour ce qu'il reste de montagnes le long des côtes depuis que les Anglais ont tout pris, personne ne peut jeter la pierre aux Cordes-de-Bois. Ce qui n'empêche pas ces cordes, du haut de leur butte, de dominer la mer, le pont, et le village accroupi à leurs pieds.

Et c'est là où l'écharde s'enfonce dans la chair. Ce village, qui depuis toujours a vue sur l'océan et porte ouverte sur le monde, sent le regard des Cordes-de-Bois dans son dos. Chaque fois qu'un homme respectable du Pont veut crier des noms à ces effrontés, il doit dresser la tête pour les voir. Même que les filles du barbier n'arrivent pas à lever le nez sur leur pire ennemi sans se donner un tour de reins. Mais plutôt que de plier l'échine devant la Bessoune, la Piroune et tous les Mercenaire des Cordes-de-Bois, les bonnes gens des côtes se seraient volontiers laissé rompre chacun des os qui lient la nuque aux talons... Ce que les Cordes-de-Bois auraient fait sans hésiter s'ils avaient disposé de crocs-barres au lieu de hariottes.

Les Cordes-de-Bois
© Éditions Grasset & Fasquelle, 1977,
pour la traduction française

Territoire mythique (dont le nom est proche de la fameuse *Arcadia* des Latins) chanté par les poètes et des artistes comme Zachary Richard, l'Acadie a été pendant près de deux siècles, à partir de 1604, la terre d'élections des nouveaux colons (chasseurs de baleines venus du Pays basque, pêcheurs de morue normands ou bretons, migrants venus d'Écosse...). Bordant la côte atlantique du Canada, elle couvrait les trois provinces officielles actuelles de la Nouvelle-Écosse, du Nouveau-Brunswick et l'île du Prince-Edouard. Au milieu du XVIIIe siècle, l'occupant anglais fit déporter des milliers d'Acadiens vers leurs colonies américaines, où ils étaient, pour la majorité d'entre eux, maltraités ou victimes de ségrégation.

Une audace ahurissante

*Fin de l'été, début de l'automne 1972, Michel Tournier et
le photographe Edouard Boubat sillonnent le Canada, « cet
extrême Occident », passant par le Québec, Vancouver,
Ottawa, Charlottetown, stylo en main, appareil photo en
bandoulière. Le 12 septembre, ils sont aux Îles de la Madeleine, un archipel situé au cœur du golfe du Saint-Laurent.
Voici ce que note l'auteur de* Vendredi ou la vie sauvage *et
des* Limbes du Pacifique, *dans son* Journal de voyage.

Mardi, 12 septembre
De Charlottetown à Cap-aux-Meules, la « capitale »
des Îles de la Madeleine, il n'y a qu'un saut de puce, mais
qui nous fait passer de l'anglophonie la plus exclusive à
la francophonie la plus farouche. Bilinguisme, où es-tu ?

Le petit port est paralysé par la grève. En lettres
blanches très soigneusement calligraphiées sur fond
rouge, un cri de révolte : *Finie l'exploitation. On est
écœurés de crever pour le patron !*

Les maisons sont en planches. Les murs recouverts
de bardeaux de bois, les toits de bardeaux de papier
goudronné. Couleurs d'une vivacité et d'une audace
ahurissantes aussi bien des murs que des toitures. La
pistache, le saumon, l'indigo et le sang de bœuf gueulent

à l'unisson. Sur chaque maison, un couple de corneilles tranchent par leur noirceur sur les teintes métalliques et mènent grand raffut au coucher du soleil.

Nous sommes sur la plus grande île de l'archipel de la Madeleine situé dans le golfe du Saint-Laurent à proximité de Gaspé, de l'Île du Prince-Edouard – dont nous venons – du Cap-Breton et de l'île d'Anticosti. C'est ici que se trouve le véritable berceau du Canada puisque Jacques Cartier atteignit ces îles dès le 25 juin 1534. Le nom de l'archipel lui vient de Madeleine Fontaine, épouse de François Doublet, premier seigneur des îles. Les Madelinots au nombre de 13 000 vivent principalement de la pêche.

Mercredi, 13 septembre

Dans notre petite bibliothèque portative, les écrits de saint Jean de la Croix. La nuit obscure est une épreuve purificatrice de l'esprit que Dieu impose à l'âme qu'il aime. Désarroi et fragilité de l'âme ainsi éprouvée. Saint Jean de la Croix s'élève contre les confesseurs et les directeurs de conscience qui croient l'âme obscure en proie au péché, la rudoient et augmentent ainsi inutilement ses angoisses. L'homme éprouvé n'en est pas pour autant réprouvé.

Journal de voyage au Canada
© Éditions Robert Laffont, 1984

VICTOR-LÉVY BEAULIEU

Boulevard Henri-Bourassa

Victor-Lévy Beaulieu est un phénomène, le monstre jovial des lettres québécoises. Romancier, essayiste, auteur de plus de 70 livres, éditeur, militant indépendantiste, il considère le Québec comme « le pays des nègres blancs d'Amérique » et ne cesse de répéter que la langue française y est en péril comme jamais. Pas un de nos cousins d'Amérique qui ne connaisse son nom et ses turpitudes. Son grand succès public, il le doit au petit écran, avec ses téléromans L'Héritage *ou* Montréal P.Q. *Les amateurs de livres avaient remarqué son premier roman, loufoque en diable,* Mémoires d'outre-tonneau, *en 1968. Aujourd'hui, Beaulieu est revenu dans la région de son enfance, du côté de Trois-Pistoles. Un de ses derniers romans,* Bibi, *narre les tribulations d'Abel Bauchemin, un personnage qui aurait pu sortir de chez Céline ou Rabelais. Il revient sur sa jeunesse miséreuse, au moment où, adolescent, il quitte le domicile familial de Montréal.*

arrivé au bout de la rue saint-vital, je marche le long du boulevard henri-bourassa — avant de me rendre chez judith, je tiens à revoir une dernière fois le quartier qui m'a tant fait détester mon adolescence — (((quelle médiocrité partout et quelle laideur dans cette médiocrité-là !))) — assis sur le balcon en haut de la pharmacie des frères meloche, konrad boit de la bière comme il le fait tous les jours depuis dix ans ; il a une prodigieuse tumeur au cou, comme une deuxième tête qui se serait mise à pousser là, difforme et sans yeux — sur l'autre balcon, le chien n'a guère plus d'allure, gras comme un cochon, la peau zébrée de cicatrices et le crâne aussi dégarni qu'une boule de billard ; le chien ne vend plus de beignets depuis longtemps, à cause du diabète qui s'est attaqué à ses orteils ; on les lui a coupés l'un après l'autre et les jambes y passeront bientôt quand la gangrène se mettra dedans (((de toute façon, le chien ne se rend plus compte de rien, anéanti par l'opium qu'il ne cesse pas de fumer))) —

le boulevard henri-bourassa traversé, je bifurque vers la rue l'archevêque ; en face de la maison du juge de paix blondeau, l'épicerie du bonhomme djos allaire a fermé ses portes pour cause d'insalubrité — après notre arrivée à morial-mort, j'y ai travaillé les fins de semaine comme livreur à bicyclette ; c'était la fille du bonhomme allaire qui faisait le tri des bouteilles vides dans la cave ; maigre comme un bretzel et devenue fêlée du chaudron des suites d'une maladie mal soignée, elle engrangeait dans ses petites culottes tout ce qui lui tombait dans la main, mais sa prédilection allait aux bonbons à la guimauve : quand elle en retirait un de ses petites culottes, c'était maculé de sang comme un tampon d'ouate — mais la fille du bonhomme allaire n'y portait pas attention et avalait ses bonbons à la guimauve, voracement ; c'était dégoûtant et je me suis cherché du travail ailleurs, chez les confitures raymond — dans la saison des fruits, la compagnie engageait beaucoup de monde pour équeuter les fraises, nettoyer les framboises et les bleuets, dénoyauter les pêches et les prunes (((à saint-jean-de-dieu, cette saison-là du fruitage a toujours été pour moi comme la glorification de l'été ; à quatre pattes dans les herbes, le soleil pareil à une main chaude sur mon corps, et tous ces fruits gorgés de jus à manger par pleines poignées !))) —

mais équeuter des fraises aux confitures raymond n'avait rien de bucolique : on entrait d'abord dans une ancienne caserne de pompiers, ça suintait sur les murs tellement c'était humide là-dedans, tu devais te laver les mains, puis prendre place à l'une des tables ; un surveillant t'offrait alors une tablette de chewing-gum qu'il te forçait à mâcher sans arrêt pour que, tu ne puisses pas manger quelques-uns des fruits à équeuter, nettoyer ou dénoyauter — tout ce que morial-mort pouvait compter d'handicapés, de vieillards édentés et d'enfants pauvres se retrouvait dans l'ancienne caserne de pompiers, authentique cour des miracles d'un prolétariat déclassé et aussi misérable que le petit peuple de paris décrit par victor hugo : (((pourquoi manquait-on toujours d'argent pour racheter les terres de la rallonge, les remplir de bêtes de toutes sortes et vivre là avec elles, comme emmitouflé dans un épais capot de chat sauvage, délivré de la haine, aussi bien celle qu'on cultive contre le monde que celle qu'on fortifie contre sa famille ?))) —

Bibi
© Éditions Grasset & Fasquelle, 2010

Le boulevard Henri-Bourassa est situé au nord de Montréal. Il doit son nom au fondateur du quotidien québécois *Le Devoir* en 1910. C'est le journal le plus lu et le plus respecté. La romancière Denise Bombardier, qui ne mâche pas ses mots, y tient régulièrement une chronique. L'écrivaine (comme on dit au Québec) Lise Bissonnette avait dirigé le quotidien dans les années 90. Sa nouvelle devise «Libre de penser» vient de succéder à l'historique «Fais ce que doit».

LOUISE DESJARDINS

En route pour Ottawa

*Retour en arrière, au tout début des années soixante, dans
la région d'Abitibi, le pays des Indiens algonquins. Claude
Ethier, une jeune adolescente curieuse de la vie et des
choses de l'amour, traitée de « grande bavasseuse » par ses
frères, de « suffragette » par son père, confie les affres et les
bonheurs de sa vie intime. Elle aime Shakespeare, le cinéma
d'Hollywood, les chansons d'Elvis Presley, et rêve de vivre
à Montréal ou en Europe, où elle finira par se rendre. À
l'âge de quatorze ans, elle quitte sa petite ville natale pour
rejoindre son pensionnat, à Ottawa, capitale de l'Ontario.*

Le voyage de Rouyn à Ottawa dure dix heures. Je
ressasse cette promesse en lisant une pile de vieux
romans-photos et de vieilles revues d'acteurs que ma
tante Alphonsine m'a refilées. Je lis les méchancetés que
Louella Parsons déblatère sur les amours d'Elizabeth
Taylor et Eddy Fischer. Pour une fois, je les trouve tous
moins chanceux que moi. Quand ça devient trop mélo
mollo, je regarde le paysage.

J'aime la réserve du parc La Vérendrye. J'ai l'impression
de courir un danger sur cette route déserte qui n'en finit
plus : pas de maisons, pas d'églises, pas de monde,
beaucoup de gravier, beaucoup de poussière, beaucoup

de conifères, beaucoup de lacs. Un gros ours surgit du bois et l'autobus s'arrête. Le chauffeur dit que la nuit, il y a des orignaux qui traversent et qu'il faut être très prudent si on ne veut pas les frapper. Mon grand-père est mort comme ça, entre chien et loup, après avoir heurté un orignal. Mon père a raconté mille fois cette histoire, comment son auto avait été défoncée par l'animal gros comme un cheval. Il avait fallu des tenailles pour sortir mon grand-père de l'auto tant elle était écrasée et il y avait du sang et des tripes partout sur la route. C'est la seule histoire vraiment morbide qu'il raconte. Rien à voir avec les quelques vers de Hamlet qu'il nous récite quand le mot « Shakespeare » est prononcé, ce qui a pour effet de le remonter comme un automate.

Passé le parc La Vérendrye, l'autobus s'arrête à Grand-Remous pour le dîner. Les remous bouillonnants de la rivière Gatineau me fascinent, de même que les billots qui virevoltent au-dessus de l'écume comme s'ils n'étaient que broutilles. On reprend la route aussitôt après le repas. Près de Maniwaki, les arbres commencent à montrer leurs couleurs et les collines sont aussi rondes que celles de Notre-Dame-du-Nord, chez grand-maman Éthier. Les plates étendues de l'Abitibi que j'ai laissées derrière moi, avec leurs épinettes rabougries et leurs pins isolés parmi quelques bouleaux, me semblent ternes et sèches. Je me dis qu'au fond, l'Abitibi, c'est bien laid.

Il n'y a vraiment que ma mère pour penser que c'est beau. Elle dit que c'est beau parce que tous les étés des Américains s'y installent avec l'air insouciant des riches qui s'ennuient. L'hiver, personne ne les revoit et tout le monde rêve de les rejoindre en Floride. Mon père dit qu'il est bien chanceux d'être payé pour aller dans les bois d'Abitibi alors que les touristes sont obligés de payer pour y pêcher. Je les trouve bien stupides, ces touristes, de payer pour se faire manger par les mouches noires en attendant que le poisson morde.

À Maniwaki, plusieurs filles montent dans l'autobus. Elles se connaissent toutes et elles vont au couvent d'Ottawa elles aussi, d'après leurs dires. L'une d'entre elles s'appelle Annie. Ses cheveux noirs et son teint d'Indienne contrastent avec ma peau blanche et mes petits cheveux blonds. J'ai l'air malade à côté d'elle. Elle rit facilement, parle d'une voix rauque et plisse ses yeux noirs pour rire entre chaque phrase. Je lui souris, et elle vient s'asseoir près de moi.

La Love
© Éditions Leméac, 1993

La Love est le premier roman de Louise Desjardins, auteure (comme on dit dans le Canada francophone) née en 1943 à Rouyn-Noranda. Elle a par ailleurs publié une quinzaine d'ouvrages dont de nombreux recueils de poèmes. Elle excelle dans la truculence du langage, particulièrement imagé, et où se mêlent de nombreux mots ou expressions tirés de l'anglais, et souvent francisés. Elle a traduit en français Margaret Atwood.

Située dans l'ouest québécois, l'Abitibi-Témiscamingue est une région couvrant 65 000 km², composée d'immenses espaces dominés par la forêt et une profusion de lacs. Peuplée de 150 000 habitants, elle est riche en ressources minières et a accueilli au début du XXe siècle ses premiers défricheurs et attiré les chercheurs d'or. C'est en Abitibi que se trouve le parc La Vérendrye (13 000 km²), qui abrite une faune très variée (ours noirs, cerfs, orignaux…) et accueille de nombreux amateurs de pêche.

MAURICE G. DANTEC

Montréal ou Rio?

Écrivain français né à Grenoble, romancier passionné de science-fiction et empêcheur de tourner en rond, Maurice G. Dantec décide à quarante ans, en 1999, de s'installer avec sa famille à Montréal, où il vit toujours. Là, il rédige durant sa première année d'exil volontaire, son Journal métaphysique et polémique, *qu'il baptise* Le théâtre des opérations. *Entre deux commentaires acerbes sur la société québécoise où les soubresauts de l'actualité internationale, il évoque la ville qui l'a accueilli, sous un angle bien particulier, celui des Montréalaises, dans le renouveau du printemps.*

Il existe peu d'endroits au monde où les femmes sont belles comme ici, à Montréal. Même celles qui viennent d'arriver, d'Europe, d'Asie, d'Amérique latine ou d'ailleurs, se mettent à vibrer dans l'air selon la fréquence plastique propre aux filles de cette ville. C'est cette ville, je crois, qui les transfigure ainsi, et je serais bien incapable d'expliquer pourquoi. Ce mystère est selon moi une des armes secrètes dont elle se sert depuis ses origines pour amalgamer ainsi tant d'immigrations successives, parfois rivales, c'est le moins qu'on puisse dire, et en produire cette beauté poussée à un degré supérieur tel qu'on n'en verra jamais je crois sur le Vieux Continent. Beauté du biotope urbain incarnée dans dix mille modèles féminins hautement concurrentiels selon les règles de la métrique publicitaire cosmopolitaine, fusion blanche des désirs, magie noire de la sensualité, biodiversité des artifices génétiques et culturels, Montréal est la seule ville, il me semble, qui pourrait être comparée à Rio de Janeiro. Un Rio de Janeiro situé au nord du 49e parallèle, élaborant dans les froidures de ses hivers précoces les générations d'un métissage panaméricain, subarctique, boréal, prêt à s'épanouir au grand jour dès les premières poussées de chaleur de ce printemps québécois qui vous explose dans la face plus sûrement qu'un missile thermotropique, climat ravageur des terminaisons nerveuses et des phéromones à l'unisson d'une nature dionysiaque, nymphomaniaque, explosive, que la cité habille, érotise en fait, en canalisant ses ardeurs dans l'éducation anglaise et géométrique de ses rues, en la parant de quelque fulgurante parure chromée signée Chrysler ou Cadillac, de sa vénéneuse cosmétique de néon, de la soierie délicate d'une lumière de fin d'après-midi sur les surfaces de verre des buildings du centre-ville.

Le théâtre des opérations
© Éditions Gallimard, 2000

Quelques pages auparavant, plus poétiquement, il s'attarde, en compagnie de sa fille, sur « le ciel de traîne bleu cobalt », avec ses « longs cigares indigo qui s'étagent au-dessus des immeubles, sur un fond monochrome radioactif », alors que toute la ville « semble chanter son corps électrique ».

DANY LAFERRIÈRE

Sur un air de chanson

Né en Haïti, le romancier Dany Laferrière a choisi l'exil au Québec en 1976, à 23 ans. Moins de dix ans plus tard, il publiait son premier roman, Comment faire l'amour avec un Nègre sans se fatiguer, *édité par la maison d'édition du romancier Victor-Lévy Beaulieu. Dans* L'énigme du retour *(prix Médicis en 2009), le narrateur, qui mêle prose et poésie, décide de revenir sur les traces de son père décédé. Il évoque ici Montréal et la rue Saint-Denis, une longue artère commerçante au cœur du Plateau Mont-Royal, bordée de nombreuses terrasses de café, de restaurants, de librairies.*

Je vais tête baissée, sous le vent glacial, jusqu'au coin de la rue. Cela fait trente ans que j'arpente cette rue. Je connais chaque odeur (la soupe tonkinoise au bœuf saignant du petit restaurant vietnamien), chaque couleur (les graffitis sur les murs de cet ancien hôtel de passe), chaque saveur (la fruiterie où j'achète des pommes en hiver et des mangues en été) de la rue Saint-Denis. Les boutiques de vêtements ont remplacé les librairies. Les restaurants indiens, thaïs et chinois à la place des bars minables où l'on pouvait passer la journée avec une bière chaude.

Je m'engouffre dans ce café étudiant
au coin de la rue Ontario.
La serveuse se tourne vers moi sans un sourire.
Je vais m'asseoir au fond, près du calorifère.
Après un moment elle vient prendre la commande.
On entend Arcade Fire à peine.
Déjeuner rapide avant de courir à la gare.

Je griffonne ces notes hâtives pour des chansons sur le napperon de papier tout en buvant calmement mon café. Avec de petits dessins entre les scènes.

Face A.

Scène 1 : Je flâne dans les rues avec, dans ma poche, la clé de ma chambre. J'ai peur de la perdre tout en caressant l'idée (au bout de mes doigts) que tout ce que je possède se trouve en ce moment dans ma poche.
[...]
Scène 4 : Je suis assis sur un banc du parc, juste en face de la bibliothèque. Tout à côté de moi deux adolescents en train de s'embrasser devant un écureuil tétanisé. Les canards semblent plutôt indifférents.

Scène 5 : Je me fais du spaghetti à l'ail en regardant d'un œil distrait un vieux film de guerre sur ma petite télé en noir et blanc. Avec cette actrice allemande aux mains lourdes dont j'ai oublié le nom.

Scène 6 : De ma fenêtre, je suis cette jeune fille en robe d'été (jambes et épaules nues) jusqu'à ce qu'elle arrive chez elle. Elle s'est retournée, sentant mon regard sur sa nuque, au moment de franchir la porte. Deux jours plus tard, elle était dans ma baignoire.

Face B.

[...]

Scène 9 : Je suis à Repentigny, une petite ville de banlieue assez cossue. Des jeunes gens rêvent d'exposer un jour leur peinture dans une galerie d'art de Montréal. Je leur conseille alors de commencer par exposer dans leur salon. Ils sont étonnés de ne pas y avoir pensé avant. J'arrive d'un pays où on est habitué à faire avec ce qu'on a.

Scène 11 : Je vais dans un centre de dépannage pour travailleurs migrants, sur la rue Sherbrooke. Si vous êtes vraiment mal pris, on vous donne vingt dollars pour passer la journée. On cause politique et le type veut savoir dans quelles circonstances j'ai quitté mon pays, si on m'avait déjà torturé. C'est non. Il insiste car le fait d'avoir reçu une simple gifle m'aurait valu cent vingt dollars. C'est toujours non. Au moment de le quitter il me glisse une enveloppe que j'ai ouverte au coin de la rue pour trouver cent vingt dollars. J'ai l'impression d'avoir gagné le 100 mètres sans avoir pris aucune drogue.

L'énigme du retour
© Éditions Grasset & Fasquelle, 2009

De nombreux artistes et écrivains d'origine haïtienne se sont exilés sur le continent américain, pour la plupart sur la côte Est des États-Unis ou au Québec. Outre Dany Laferrière, on retiendra les noms de l'essayiste et conteur

Du côté français

Georges Anglade (décédé lors du terrible séisme de janvier 2010), Anthony Phelps, Jean-Euphèle Milce ou le poète Joël des Rosiers. On estime à environ 150 000 le nombre de Haïtiens ayant émigré au Canada, dont une grande majorité au Québec, mais également dans les grandes villes anglophones comme Ottawa ou Toronto.

MICHEL TREMBLAY

Cataclysme sur Montréal endormie

*À 70 ans, ce Montréalais qui partage son temps entre sa rési-
dence de Key West et le Canada est un des auteurs les plus
populaires de son pays. Romancier fécond, dramaturge (*Les
Belles-sœurs, Demain matin, Montréal m'attend...*), brillant
nouvelliste (*Contes pour buveurs attardés*), il est l'auteur
d'une saga familiale et pittoresque, baptisée « Chroniques du
plateau Mont-royal », entamée dans les années 70. Publiés
en 2002, les récits autobiographiques rassemblés dans* Bonbons assortis *sont l'occasion de revenir sur son enfance et sa
jeunesse dans le Vieux-Montréal. L'extrait choisi est tiré de
« Sturm und Drang », dominé par les figures féminines de sa
grand-mère, de sa marraine Robertine et de sa mère surnom-
mée « Nana ». Une vaste exposition-hommage lui est consa-
crée au Musée de la civilisation à Québec, de mars 2012 à
août 2013.*

On n'avait pourtant rien annoncé de particulier pour
cette nuit-là, à part une belle pluie d'août qui viendrait
enfin dissiper cette horrible et collante humidité que nous
avions eue à endurer sans relâche plusieurs semaines de
suite. Un front froid s'avançait; on disait qu'il balaierait
tout le Québec d'un air sec et vivifiant, précurseur de
l'automne. Toute la maisonnée s'était préparée à cette
pluie en soupirs de satisfaction et remarques désobli-

geantes pour le maudit été trop chaud, trop long, trop collant. Ma grand-mère prétendait soudain détester l'été, ma tante Robertine rêvait au mois d'octobre, mes frères parlaient déjà de hockey. Six mois plus tard, aux premiers frémissements du printemps, ils proféreraient des horreurs semblables au sujet de l'hiver. Ma mère déclara que les habitants des pays tempérés ne sont jamais contents et qu'ils critiquent tout le temps; ma grand-mère lui répondit que le Canada n'était tempéré qu'au printemps et à l'automne. Le reste du temps, c'était un pays insupportablement excessif.

« L'hiver y fait trop frette, pis l'été y fait trop chaud. Moé, j'me contenterais du mois de mai ou ben du mois de septembre à l'année! Y paraît qu'au Paradis terrestre, là, c'était le mois de septembre à l'année! Y avait tout le temps des fruits, pis tout le temps des légumes! Y pouvaient en manger du frais à l'année longue, les chanceux! Tiens, ça veut même dire, Nana, que quand t'es venue au monde, un 2 septembre, y faisait la même température qu'au Paradis terrestre! »

Ma mère avait posé ses deux mains sur ses hanches comme lorsque j'avais fait un mauvais coup et que le ciel allait me tomber sur la tête.

« Madame Tremblay! Franchement! Vous lisez trop pour croire des niaiseries pareilles! Qui c'est qui est allé tchéker ça? Hein? Y avait-tu un météorologue au Paradis terrestre? C'est-tu dans la Bible, coudonc? *Dieu inventa le mois de septembre et vit que c'était bon?* Vous êtes trop intelligente pour croire ça!

— Chus comme toé, chère tite-fille! J'cré ce qui fait mon affaire! »

Ma mère, bouche bée, était retournée à sa besogne.

Nous nous étions donc tous mis au lit ce soir-là en espérant être réveillés par le doux bruissement de la pluie dans les arbres et la fraîcheur de l'automne à travers nos draps propres. Dix personnes s'entassaient dans ce grand appartement de sept pièces : ma grand-mère Tremblay, sa fille Robertine et ses deux enfants, Hélène et Claude ; son fils, mon père, avec sa femme et leurs trois fils, mes deux frères, Jacques et Bernard, et moi. Mon oncle Lucien, le mari de ma tante Robertine, était disparu depuis un certain temps et personne ne s'en plaignait. Quant à mes deux oncles célibataires, Fernand et Gérard, ils partageaient une petite chambre *en attendant de se trouver du travail.*

Mais ce furent les grandes orgues de la foudre qui nous réveillèrent. Un spectaculaire coup de tonnerre se fit entendre vers les deux heures du matin, pendant qu'un véritable cataclysme s'abattait sur Montréal endormie.

Bonbons assortis
© Leméac, 2002
© Actes Sud, 2002 pour la France,
la Belgique et la Suisse

OLAF CANDAU

Into the wild

Au tout début des années 2000, le skieur, alpiniste et globe-trotter savoyard Olaf Candau décide de rejoindre le mythique grand Nord canadien, celui de Jack London et de James Olivier. Il jette son dévolu sur le vaste territoire fédéral du Yukon, pratiquement aussi étendu que la France, et peuplé de 23 000 habitants à peine. Après avoir abandonné sa Chevrolet, scie et hache en main, il bâtit une cabane en rondins de pin dans laquelle il s'isole pendant un an, au milieu des bois. Précisément entre les montagnes Cassiar et la French River.

Fin juin, la construction, un peu en retard sur mes prévisions, va commencer. Je prévois 3 mois. Il paraît que la neige sera là début octobre.

Mais avant les grands travaux, il faut débuter par ma cage. Une sorte d'abri anti-ours dans lequel je peux installer la tente.

Une vingtaine de rondins est empilée en carré les uns sur les autres, plus une dizaine d'autres pour le toit, le tout consolidé avec de la corde. Deux échelles pour escalader la cage terminent en seulement quelques heures la première construction. Un avant-programme qui me met déjà l'eau à la bouche.

L'appareil photo installé sur une souche, la scie et la hache en main, je prends la pose devant l'amas de végétation qui occupe l'emplacement prévu. La butte, actuellement, est entièrement boisée. Vu le nombre d'arbres et la taille de mes bras, je me demande tout à coup si ce n'est pas démesuré…

C'est parti! Je coupe, arrache et ébranche. Je coupe, scie et fends comme un castor. La journée se passe ainsi, au son de la scie, de la hache, des craquements et du souffle des arbres abattus.

La butte s'éclaircit peu à peu. Chaque arbre est sélectionné en fonction de son aspect pour un rôle futur. Des tas de branches grossissent, mes mains se noircissent de résine, mes bras s'alourdissent.

Le soir, un écureuil et un geai gris quasiment côte à côte sur une branche contemplent avec moi, les trente-cinq troncs alignés dans la pente, gisant au soleil couchant.

> Extrait de Journal.
> *On peut s'adapter à n'importe quel type de vie. Malgré le dépaysement, je me surprends à réaliser des gestes automatiques. Il faut dire que j'imagine cette vie depuis longtemps. Tous mes gestes, à peu de choses près, ont déjà été réalisés mentalement.*

N'ayant aucune expérience de construction, j'ai observé durant le premier mois les constructions d'ici.

La cabane traditionnelle du Canada est en gros rondins avec un toit couvert de 30 cm de terre, pour les vieilles cabanes, et de tôles pour les récentes.

De mon côté, me sentant incapable d'empiler seul de grosses sections, je prévois de la monter en petits rondins et de construire deux murs, avec de l'isolant (de la mousse végétale) entre les deux. Pour le mur intérieur, à la manière de l'abri anti-ours, les rondins seront empilés avec suffisamment d'espace pour bourrer de la mousse entre chacun d'eux, et de l'autre côté, à l'extérieur, le deuxième mur formera une sorte de bardage. Un bardage vertical qui maintiendra la mousse bourrée entre chaque rondin. Pour obtenir la pente de toit (un toit à une pente suffira), il me faudra empiler les rondins dans le même sens. Comme ils sont plus gros à la base qu'au sommet, pardi, les murs latéraux monteront plus vite d'un côté que de l'autre. Voilà pour l'idée architecturale.

Un an de cabane
© Éditions Guérin, 2004

Le défi que s'est lancé Olaf Candau ne serait pas complet sans les mésaventures et les surprises qui l'attendent au cœur de la forêt : les moustiques (qu'on appelle *maringouins* au Canada) en été, les meutes de loups en hiver, la rencontre avec les trappeurs et les bûcherons, le bois à couper, l'eau à récupérer, et la rencontre périlleuse avec un ours brun…

GÉRALDINE WOESSNER

Par tous les diables!

Journaliste française exilée au Québec, Géraldine Woessner s'est amusée à radiographier avec pertinence et humour la société québécoise, avec ses travers, ses particularismes, ses tics de langage, son héritage francophone, sa gastronomie et parfois, ses drôles de mœurs, à nos yeux de métropolitains. La langue québécoise est particulièrement riche en jurons et expressions fleuries, la plupart inspirés du clergé catholique tout-puissant jusque dans les années soixante, et que l'auteur décrypte avec gourmandise et jubilation.

Au chapitre touristique, c'est la curiosité la plus réputée de la province. « *Hostie, tabernacle, ha ha!* » rigole invariablement le Français en croisant un cousin d'Amérique du Nord. « *Criss de niaiseux* », pense l'autre, mais il ne dit rien et sourit poliment, car c'est un Québécois, et que les Québécois ont horreur de la chicane. Donc, le Québécois sacre, c'est un pléonasme. Il sacre depuis que le Québec existe. Il a d'abord sacré en français au temps de la colonie, *torrieu* (je fais du tort à Dieu), *jarnigouenne* (je le renie)… Mais un jour, crac. La racine linguistique s'est comme scindée en deux. En se mêlant à la terre, une langue nouvelle est née. Dans le courant du XIXe siècle, les Québécois, économiquement dominés par les Anglais et socialement écrasés par l'Église, ont bien dû se résigner et continuer à vivre! Mais en maugréant. Et pas qu'un peu. L'exutoire devait être à la mesure de l'oppression subie, sans toutefois exposer le sacreur au terrible danger de l'excommunication. «Nom de Dieu!» c'était trop frontal. Le Québécois a contourné l'obstacle en se fixant sur les objets du culte. Alors, et alors seulement, le sacre a pu prendre son envol pour atteindre, quelques siècles plus tard, un degré de raffinement ultime dans la grossièreté langagière. Aucun pays au monde ne connaît d'équivalent. À partir d'une quinzaine de mots, des bataillons de chercheurs en ont recensé plus de deux mille, s'agençant à l'infini dans des trésors de créativité. Certains sont devenus des adjectifs, des substantifs, des adverbes, d'autres ont connu de multiples variations, ils s'assemblent entre eux pour former de nouveaux mots, jusqu'à cette apothéose que furent les concours de sacre, durant lesquels les participants devaient produire la chaîne la plus longue, sans se répéter. Par exemple : « *Câlice d'esti de calvaire de tabarnak d'ostie de ciboire de sainte-viarge* ». Essayez de le crier en marquant les consonnes, vous avouerez que c'est défoulant.

Aujourd'hui, naturellement, l'exercice a perdu sa saveur rebelle. Dans les années 1960, la révolution tranquille a mis l'Église à genoux et, si l'on sacre toujours dans le Québec laïc, l'on ne transgresse plus grand-chose. C'est pourquoi l'initiative du diocèse de Montréal a surpris tout le monde. Pour réinsuffler le sens du sacré et récolter des dons, l'Église s'est lancée dans une campagne choc.

Ils sont fous ces Québécois!
© Éditions du moment, 2010

DU CÔTÉ ANGLAIS

MALCOLM LOWRY

De Nanaimo à Gabriola

L'île de Gabriola fait partie des îles Gulf située en Colombie-Britannique, dans le détroit de Géorgie qui sépare la grande île de Vancouver du continent, avec ses 32 000 km². Un couple trentenaire, Ethan et Jacqueline décident, suite à l'incendie de leur maison près de Vancouver, de partir s'installer sur l'île de Gabriola, qu'ils voient comme une terre promise. Ce roman de Malcolm Lowry, aux allures de «road movie», se présente comme la quête d'une nouvelle vie, malgré les adversités rencontrées par le couple Lllewelyn et son destin pris dans la tourmente. Nous retrouvons les deux personnages à Nanaimo, alors qu'ils s'apprêtent à prendre le ferry pour Gabriola, après des heures passées dans un autocar Greyhound.

– Il y a bien un ferry-boat pour Gabriola ? » se hâta d'interroger Jacqueline.

– Un ferry-boat. Oui, absolument. Quatre bières ?

Avec joie ils s'abandonnaient encore et encore à la contemplation des mouettes, des phares, de la mer bleue, des cimes, ces merveilles. Une subite, sauvage, fierté les habitait d'appartenir à ce pays, un géant, mais juvénile, à cette terre après tout pétrie dans les moules du printemps. On participait à tant de dramatique splendeur, de dignité pure, on était liberté, salubrité, espace. Ces montagnes là-bas ? C'est nous, un peu.

Amour soudain de la patrie, rien de commun avec ce qu'on nomme patriotisme, mais fragment d'authentique orgueil... Tous deux regardaient plus loin que Gabriola. Au large naviguait le steamer-jouet en direction, peut-être bien, d'Eridanus. Ethan en reçut un choc. La source principale de son orgueil résidait là, peut-être. Et ce spectacle, non pas celui d'hier certes, mais celui d'aujourd'hui, ce morceau d'eux-mêmes, ne le méritaient-ils, ne le gagnaient-ils pas ? (Du moins Ethan le pensa sur l'heure, jusqu'à la résurgence de la mémoire). Ces monts frustes et boisés, cet océan, conféraient à leur vie dans la maisonnette d'Eridanus, un sens. D'une manière inexplicable, ils ne regardaient pas le paysage mais quelque chose en leur for intérieur, ou qui fut en leur for intérieur naguère. C'était là ce que tous deux voulaient exprimer, alors qu'ils traversaient en car le pont du Second Détroit, un orageux après-midi d'hiver et d'orage, en regardant, par les vitres ruisselantes, la crique, les nuages qui oblitéraient les frondaisons à feuillage persistant, au milieu des éléments en furie, et le bas des pentes, seul dégagé. Quel lieu du monde aurait pu paraître plus maussade, plus noyé dans le désarroi des tempêtes, en un mot moins vivable ? La perspective des lampes du soir dans la cabane les réjouit ; encore une demi-heure de trajet ; ils se tournèrent l'un vers l'autre ; ils plaisantaient un peu ; avec impatience, avec ardeur, ils dirent : nous *vivons* ici ! Et maintenant ?

– Le cap du Pendu, s'exclama Ethan.

– Je n'ai jamais vu autant de phares de ma vie entière.

– Ni moi.

Ils en dénombrèrent sept, plantés sur le roc, ici ou là, claires tours de vigie s'élançant des toits couleur de porto et des murs blancs de la maison des gardiens, toutes à peu près de la même architecture plaisante. Un phare, dernier objet à associer à l'idée d'un foyer ; cependant, ces fanaux dispersés sur les roches, ces *farolitos,* témoignant de l'extrême danger de cette côte (et de l'extrême danger de vivre dans un tel isolement. Ethan aurait pu citer plus d'un crime commis dans un phare), servaient de foyer à d'humaines créatures et manifestement, obstinément, on les aimait en tant que tels. À l'entour des plus proches, des jardins s'ébauchaient dans la caillasse, des rosiers fleurissaient encore, défiant l'écume. Et sur une île également à proximité, une charmante petite maison sur pilotis luisait parmi le bronze, la rouille, l'or brûlé de ses érables, le vert cendré, fané, des aulnes, le vert bouteille des pins. Combien Jacqueline appréciait le nom des couleurs !

Les ombres voletaient, des mouettes harangères, des mouettes aux ailes glauques, des cormorans d'un vert frisant le violet, qui frôlaient le grand bâtiment du C.P.R., au pied de la rampe. Le bateau du continent n'était plus qu'un plumet de fumée mais son bateau-frère entrait au port, les trois cheminées ocre, la passerelle blanche, les manches à air en forme de digitales se propulsant contre le bleu du ciel.

À droite, à une demi-longueur de club de golf, au bas de l'escalier, dans une petite anse retirée, une soixantaine de barques de pêche, fraîchement peintes, hérissées de mâts, se balançaient doucement à l'ancre ou reposaient en cale sèche.

En route vers l'île de Gabriola
traduit de l'anglais par Clarisse Francillon
© Éditions Denoël, 1984, 2005

Ce récit posthume de Malcolm Lowry, auteur d'*Au-dessous du volcan*, est largement autobiographique. Après avoir quitté le Mexique, l'écrivain anglais et sa nouvelle épouse Margerie s'installent dans les environs de Vancouver, dans la campagne de Dollarton, au début des années 1940. Réfugié en pleine nature, isolé du monde, le couple quittera la région en 1944 après l'incendie de leur cabane, où Malcolm Lowry avait écrit la troisième version d'*Au-dessous du volcan*, disparue dans les flammes... Le mythe était né.

MICHAEL ONDAATJE

Entre Toronto et Bellrock

L'Ontario est la plus vaste et la plus peuplée des provinces canadiennes : treize millions d'habitants vivant sur plus d'un million de kilomètres carrés. Sa plus grande ville est Toronto, mais la capitale administrative est Ottawa. Toronto compte un peu plus de 10 % de francophones. C'est dans cette méga-lopole que débarque le futur poète et romancier d'origine sri-lankaise, Michael Ondaatje, à l'âge de vingt ans, au début des années 60. Toronto est le cadre de son roman La peau d'un lion *(1987) qui décrit la vie des migrants, dont Patrick Lewis, un jeune artificier parti à la conquête du Nouveau monde dans les années vingt et trente, rêvant le soir, dans sa petite chambre de Queens Street. Michael Ondaatje, qui écrit tous ses livres en anglais, est connu du grand public grâce à l'adaptation de son roman* L'homme flambé, *sous le titre du* Patient anglais *par Anthony Minghella, dans les années 90.*

Patrick Lewis arriva à Toronto comme s'il touchait terre après des années en mer. Le rythme de la campagne avait scandé son enfance : le petit village de Bellrock, la rivière, telle une grand-route acheminant les draveurs qui buvaient, peinaient, tonitruaient, pour au printemps laisser les habitants sous le choc du silence. Maintenant, à vingt et un ans, on l'avait extrait de la petite ville, comme un bout de métal, puis abandonné sous les vastes arcades de l'Union Station pour commencer sa vie. Une fois de plus. Il n'avait rien à lui, il était pour ainsi dire démuni, n'ayant en poche qu'un morceau de feldspath que ses doigts avaient tripoté tout au long de ce voyage en train : il était immigrant à la cité.

Ce qui lui restait de son enfance, c'était des lettres gelées dans la boîte aux lettres, après les tempêtes de neige. Ce dont il se souvenait, c'était de sa prédilection pour la couleur, de son aversion pour le blanc. Il se revoyait pénétrant l'univers brun des étables, où le suffoquaient le souffle et la vapeur du bétail, les odeurs âcres des excréments, l'urine, relents qu'aujourd'hui encore il pouvait revivre, ici, au cœur de Toronto, et qui avait paradé, superbe, au-dessus de la couche de foin de sa première séduction, et la fille en colère l'avait giflé quand ils avaient été tous deux satisfaits et honteux. Il se souvenait de la lessive gelée, de ces salopettes raides, carcasses qu'il charroyait jusqu'à la cuisine et asseyait sur une chaise, en espérant que son père les verrait avant qu'elles ne s'avachissent et ne se vautrent sur la table.

Et puis venait l'été. Mouches noires, moustiques. Il se revoyait sautant non plus dans le foin mais dans les eaux noires et profondes de la crique, rentrant nu à la ferme, ses vêtements sous le bras, en mâchonnant de la rhubarbe crue. Vous en mordiez la peau luisante, en déchiriez les fibres, en suciez le parfum. Vous mettiez sur votre langue le plus petit grain de framboise et l'ouvriez délicatement, du bout des dents. Et vous restiez là, au milieu du champ par une journée torride, obsédé par ce goût sans pareil.

Mais ici, dans la cité, il était nouveau. Nouveau à lui-même, neuf, tout passé verrouillé. Il entrevit son image dans la vitre d'une cabine téléphonique. Il laissa

sa main courir le long des colonnes de marbre lisse et
rose qui s'élevaient jusqu'à la rotonde. Cette gare était
un palais avec des niches et des cavernes qui creusaient
une cité intime. Il pouvait s'y faire raser, prendre un
repas ou faire cirer ses chaussures.

Il aperçut un homme chargé de trois valises, bien vêtu,
qui bramait dans une langue inconnue, dévorant du
feu de son regard quiconque recevait de plein fouet ses
imprécations, adjurant tour à tour les anges de lui venir
en aide et les démons de le laisser en paix.

Deux jours plus tard, lorsque Patrick revint chercher ses
bagages qu'il avait mis en consigne, l'homme était toujours
là, incapable de s'éloigner de sa zone de sécurité, mais cette
fois dans un costume différent, un pas plus avant, eût-
on dit, dans les sables mouvants du Nouveau Monde.

Assis sur un banc, Patrick observe la marée du
mouvement, perçoit le ressac des affaires. Il prononce
son nom qui s'en va battre d'un écho avant de se perdre
sous les hautes voûtes de l'Union Station. Personne ne
s'est retourné. Ils sont dans le ventre d'une baleine.

La peau d'un lion,
traduit de l'anglais par Marie-Odile Fortier-Masek
© Éditions de l'Olivier, 2003, pour la traduction française
Coll. « Point », 2003

Union Station (« Gare de l'Union ») est le principal nœud
ferroviaire du Canada. Située au cœur de Toronto, elle
abrite également le métro. Son nom vient du fait que s'y
rejoignent, depuis les années 1920, la Canadian Pacific
Railway et le Chemin de fer Grand Tronc. Plus de 300 000
passagers y transitent chaque jour. Elle avait été inaugurée
en 1927 par le prince de Galles.

Quand la Colombie est britannique

Une soirée, à Vancouver, après le café. Luke s'adresse à son amie Stacey MacAindra, qui approche la quarantaine et rêve d'une autre vie. Il évoque la Skeena, le second fleuve le plus long (près de 600 kilomètres) de la Colombie-Britannique, après le Fraser (1 300 kilomètres). Le passage qui suit est extrait des Habitants de feu *de la romancière anglophone Margaret Laurence (1926-1987), troisième volet d'un cycle romanesque dit « de Manawaka », dédié à la condition féminine dans les années 60. Margaret Laurence était native de la province du Manitoba, et a grandi dans la petite ville de Neepawa.*

J'étais sur le point de m'engager sur un bateau de pêche, mais je crois que je vais juste faire du stop et voir ce que ça donne. Si j'arrive à finir plus ou moins ce livre d'ici quinze jours, j'aimerais repartir vers le nord. C'est une région fantastique, Stacey. Tu connais ? En remontant la Skeena — Kispiox, Kitwanga, tous ces noms impossibles. À certains endroits, près de la côte, la route suit le bord de la montagne et les arbres poussent comme dans la jungle, sauf qu'ils sont presque tous à feuilles persistantes, mais toute cette exubérance, les buissons, les fougères, la mousse, les pins gris, poussant les uns contre les autres, des verts clairs et des verts foncés, une jungle du nord, la forêt humide et la foutue route est si étroite qu'on jurerait à chaque minute qu'on va basculer dans un canyon.

Je n'y suis jamais allée.

Il y a un ferry à un endroit. Est-ce à Kitwanga ? Oui, peut-être. En tout cas, un vieux radeau déglingué traverse la Skeena attaché à une sorte de câble, et on se dit bon sang, si le câble lâche, on est cuit, tant la rivière est tumultueuse. Mais le vieux type qui le fait avancer est d'un calme incroyable, il est sans doute là depuis toujours, Charon. Il parle d'une voix lente et paisible, et on se dit ce serait peut-être une belle mort, après tout. Et pas loin, quelque part, il y a un village, un village indien, une poignée de huttes délabrées et tout est poussiéreux, même les gosses et les chiens sont couverts de poussière comme s'ils avaient tous cent ans ce qui est peut-être vrai et qu'ils étaient en train de mourir ce qui est certainement le cas. Ils te regardent de leurs yeux noirs en amande, tous ils te regardent. Ils sortent et te regardent avec une sorte de haine mal définie et qui pourrait s'en étonner ? Parce que beaucoup de monde visite le village l'été, une demi-heure environ. Ils viennent à cause des totems. Et ils sont là — hauts, minces, crochus, décolorés par le soleil, craquelés et fissurés, les totems des morts. Et des morts vivants. Si j'étais l'un d'eux, l'un des prétendus vivants, je suis certain que je haïrais les gens comme moi qui viennent du dehors. On a envie de leur demander s'ils connaissent encore la signification des totems, ou si c'est un langage qui s'est perdu et qu'il ne reste plus rien pour le remplacer sauf le silence et parfois le hurlement des hommes qui sont séparés d'eux-mêmes depuis si longtemps que ce n'est plus qu'un vague souvenir, une sorte de deuil violent, juste une raison d'être ivres autant qu'ils peuvent, aussi longtemps qu'ils peuvent. Tu ne demandes rien à personne. Tu n'as pas assez souffert. Tu ne sais pas ce qu'ils savent. Tu n'as pas le droit d'être indiscret. Alors tu regardes et tu t'en vas.

Les habitants du feu,
traduit de l'anglais par Florence Lévy-Paolini
© Éditions Gallimard, 2009

Longeant la côte de l'Océan pacifique, la Colombie-Britannique est la province la plus occidentale du Canada. Elle s'étend sur près d'un million de km² et compte 4,4 millions d'habitants, d'après le recensement de 2011. Sa plus grande ville est Vancouver, qui a accueilli les Jeux olympiques d'hiver en 2010, mais elle a pour capitale Victoria.

Parmi les personnalités originaires de la Colombie-Britannique, citons les noms de la chanteuse de jazz Diana Krall, de l'actrice et top-model Pamela Anderson (native de Ladysmith), du ténor wagnérien Ben Heppner, ainsi que de nombreuses vedettes de hockey sur glace, le sport national...

MARGARET ATWOOD

L'odeur du Nord

La quarantaine, Elaine Risley est artiste peintre. Songeuse, en proie au doute, elle revient sur ses premières années, dans les environs de Toronto. Elle regarde son enfance et sa jeunesse comme à travers un œil-de-chat, ces petites billes multicolores qui, comme un kaléidoscope, montrent le monde sous différentes facettes. Une remontée dans le monde ses souvenirs dont elle ne sortira pas indemne. Comptant parmi les plus respectés des romanciers canadiens anglophones, Margaret Atwood (née en 1939 à Ottawa) a connu il y a quelques années un succès mondial avec La servante écarlate.

La maison nue, son terrain de boue et le monticule de terre qui la jouxte s'éloignent derrière nous ; je les observe de la lunette arrière de l'automobile où je suis coincée parmi les boîtes de nourriture, les sacs de couchage et les imperméables. Je porte le tricot rayé bleu de mon frère et un pantalon élimé de velours côtelé. Grace et Carol se tiennent sous les pommiers, habillées d'une jupe. Elles me font signe de la main, puis disparaissent. Elles doivent encore aller à l'école ; moi pas. Je les envie. Déjà l'odeur du voyage, caoutchouteuse, goudronneuse, m'enveloppe, mais je ne suis pas contente. Je suis arrachée à ma nouvelle vie, au monde des filles.

Je m'installe dans ma perspective familière : l'arrière

des têtes, des oreilles et, au-delà, la ligne blanche de l'autoroute. Nous passons au travers des terres cultivées en prairies, avec leurs silos, leurs ormes et leur odeur de foin coupé. Les arbres à larges feuilles se font plus petits, il y a plus de pins, l'air rafraîchit, le ciel prend la teinte d'un bleu plus froid, nous laissons le printemps derrière nous. Nous rencontrons les premières stries de granit, les premiers lacs ; dans l'ombre, de la neige est tapie. Je m'avance au bord du siège et appuie les bras sur la banquette avant. Je me sens comme un chien, les oreilles dressées, flairant l'odeur.

Le nord a une autre odeur que celle de la ville : c'est plus clair, plus léger. Les yeux voient plus loin. Une scierie, une montagne de sciure de bois, la forme wigwam d'un four ; les cheminées des fonderies de cuivre, entourées de rochers sans arbres, comme passés au feu, les monceaux de scories noires. De tout l'hiver, je n'avais pensé à ces choses. Mais les voilà de nouveau. Le fait de les voir me les rappelle, me les fait reconnaître et les saluer comme des choses familières.

Des hommes se tiennent à l'angle des rues, devant l'épicerie du coin, les petites banques, les bars aux murs recouverts de bardeaux d'asphalte gris. Ils gardent les mains enfouies dans les poches de leur coupe-vent. Certains ont un visage brun d'amérindien, d'autres, la peau à peine basanée. Leur démarche diffère de celle des hommes du sud. Elle est plus lente, plus réfléchie ; ils parlent moins et ils mettent plus d'espace entre les mots. Pendant qu'il leur parle, mon père joue avec ses clés et la monnaie de ses poches. Ils parlent de niveau d'eau, de sécheresse en forêt, du poisson qui mord. « Rien que pour se tailler une bavette », dit-il. Il revient à l'auto avec un sac d'épicerie de papier gris qu'il coince derrière mes pieds.

Mon frère et moi nous tenons à l'extrémité d'un quai délabré, au bord d'un long lac bleu aux rives escarpées. C'est le soir, le coucher de soleil est couleur melon et, au loin, des huards appellent de leur cri traînant et ascendant semblable à celui des loups. Nous pêchons. Il y a des maringouins mais j'en ai l'habitude et je prends à peine le temps de les écraser. La pêche se poursuit en silence : un lancer, le flac du leurre, le son du moulinet. Nous surveillons le leurre pour voir si rien n'est à la traîne. S'il y a un poisson, nous ferons l'impossible pour l'attraper au filet, l'immobiliser avec le pied, le frapper sur la tête, lui enfoncer un couteau derrière les yeux. Moi, je pose le pied, mon frère s'occupe de frapper et d'embrocher. En dépit de son silence, il est d'aplomb, alerte, les lèvres tendues aux commissures. Je me demande si mes yeux brillent autant que les siens, comme ceux de quelque animal, dans ce crépuscule rosé.

Nous vivons dans un camp de bûcherons déserté. Nous dormons sur nos matelas pneumatiques, dans nos sacs de couchage, sur les banquettes de bois où les bûcherons avaient l'habitude de dormir. Malgré le fait qu'il n'ait été abandonné que depuis deux ans, ce camp est déjà délabré. Quelques bûcherons ont laissé des inscriptions, leurs noms, leurs initiales, des cœurs enlacés, de courts mots grossiers et des dessins suggestifs de femmes nues, gravés ou dessinés sur les planches...

Œil-de-chat,
traduit de l'anglais par Hélène Filion
© Éditions Robert Laffont, 1990

DAVID HOMEL

Un boui-boui cosmopolite

Né à Chicago en 1952, journaliste, traducteur (notamment de Daniel Pennac et de Dany Laferrière) et romancier, David Homel a décidé de vivre à Toronto, puis à Montréal, il y a une trentaine d'années. Son sixième roman, Le droit chemin, *narre l'histoire d'un professeur quinquagénaire, Ben Allan, atteint d'une étrange pathologie qui le contraint à tout fuir, y compris lui-même… Nous le retrouvons dans un quartier populaire et bigarré de Montréal.*

Un samedi après-midi, sous un ciel bas, avec la menace d'une tempête de neige dans l'air, c'est un Ben Allan désœuvré qui commit le péché d'écologie consistant à descendre au centre-ville en voiture. Il mit le cap sur la galerie d'art où la sœur de Carla McWatts exposait ses œuvres.

De retour dans la rue où se trouvait le massif édifice de brique rouge qui abritait la galerie, Ben se gara devant un boui-boui où l'on pouvait simultanément faire transcoder des films au format NTSC et se procurer de la viande halal. Il constata que la boutique était divisée en deux côtés : le pakistanais et l'indien ; pas de cochon d'un bord, pas de vache de l'autre. Comme toujours, le poids de cet arrangement pesait sur les moutons.

Le standing de la rue s'était détérioré depuis l'époque où elle était occupée par d'autres immigrants spécialisés dans la traite des fourrures.

Une génération auparavant, Juifs et Grecs s'y étaient affrontés, non pour trancher entre monothéisme et polythéisme, mais pour savoir dans quelle poche iraient les dollars du commerce international des fourrures. Des hommes entraient et ressortaient de cet immeuble avec des visons à un million sous le bras, sans plus s'inquiéter de la sécurité de leur marchandise que s'ils transportaient des sacs de pommes de terre. C'était un négoce honorable.

C'était aussi le bon temps : une époque à jamais révolue. Depuis que Brigitte Bardot avait obligé les marchands de fourrure à fermer boutique avec ses piaillements incessants au sujet des yeux expressifs, attendrissants, suppliants, les yeux de victimes des bébés phoques — qui sont blancs, sa couleur préférée entre toutes —, les fourreurs avaient cédé la place à des bandes d'artistes ainsi qu'à leurs gérants et à divers imprésarios, qui avaient repris les lofts abandonnés. Certains d'entre eux tentaient même de rendre hommage aux fourreurs en produisant des œuvres satiriques qui ne faisaient qu'une bouchée de l'image de minette-sexy-devenue-apôtre-des-phoques de BB. Malheureusement, comme les vieux Juifs et les vieux Grecs à la retraite avaient depuis longtemps relocalisé leurs pénates en Floride et qu'ils ne fréquentaient pas particulièrement les hauts lieux de l'avant-garde artistique, ils n'ont jamais su qu'ils étaient vengés.

La galerie, nommée la Centrale excentrée, occupait le quatrième étage. Comme l'ascenseur automatique n'était jamais arrivé dans cet immeuble, un nain perché sur un tabouret repiqué d'un bar fit grimper Ben dans un monte-charges grinçant. Ce dernier posa le pied sur le palier et s'aventura dans un couloir aux murs de ciment éclaboussés ici et là de couleurs à l'huile, de teinture et autres accidents du métier, celui des fourrures ou de l'art, il ne savait trop. Plusieurs âmes vaillantes y avaient garé leur vélo quatre-saisons. Sur chaque porte, une vitre polie arborait l'insigne du système de sécurité high-tech installé par les propriétaires de la galerie. À l'époque des fourreurs, ce genre de précaution était inconnu. C'était l'un de ces systèmes, se rappela Ben, que la sœur de Carla avait déjoué pour commettre ses mystérieux méfaits.

Le droit chemin
traduit de l'anglais par Sophie Voillot
© Éditions Actes Sud, 2010

NEIL BISSOONDATH

Un palais avec des niches

Véritable Babel moderne, Toronto a aussi des bas-fonds et son milieu interlope. C'est là que nous entraîne le romancier originaire de Trinidad, Neil Bissoondath, dans une sorte de thriller *peuplé de personnages paumés ou peu fréquentables. Un récit ou une fantaisie toute shakespearienne se mêle au réalisme le plus cru. Bissoondath s'était installé au début des années 70 à Toronto où il a enseigné l'anglais, avant d'aller vivre à Montréal. Il est le neveu de V.S. Naipaul, lauréat du prix Nobel de littérature en 2001.*

— C'est le quartier de mon enfance, constata Danny.

— Vraiment, Dano ?

Mr Simmons conduisait voûté, le dos courbé sur le volant qu'il agrippait de ses mains gantées. Les quelques flocons de neige tombés plus tôt avaient disparu sans trace, une éclaircie se dessinait dans le ciel. Des fragments de bleu, froids et fragiles, apparaissaient au loin, du côté du lac invisible.

— Mon père a toujours une gargote pas loin d'ici, dans Carlton Street.

On devrait peut-être s'arrêter prendre un café chez lui ?

— Il ne compte guère parmi vos admirateurs.

Mr Simmons eut un petit rire amusé et klaxonna une voiture qui passait.

— Dans Carlton Street, hein? Ça serait pas par hasard *Chez Pascal,* non?

— Vous connaissez?

— Ça fait, euh, une éternité que je n'y ai pas mis les pieds. Mais, c'est pas possible que le vieux Pascal soit votre père, non? Il aurait quatre-vingt-dix ans bien sonnés, maintenant, s'il ne nourrit pas déjà les pissenlits par la racine.

— Il est reparti dans le Soo pour sa retraite, quand mon père a racheté.

Danny n'était encore jamais monté dans la voiture de Mr Simmons, une vieille Ford L.T.D. en bon état. Il ne put s'empêcher de remarquer en s'asseyant que l'intérieur sentait exactement comme Mr Simmons lui-même : l'odeur de lavande d'une poudre que Danny associait aux personnes âgées. Pendant qu'il se débattait avec sa ceinture de sécurité, il eut l'œil attiré par un petit lion en plastique collé sur le tableau de bord. Et il aurait pu jurer qu'à plusieurs reprises au cours du trajet, il avait surpris le lion à ramper vers lui en catimini.

— Dans le Soo? Tiens, je dois avoir la mémoire qui flanche; je jurerais qu'il m'avait raconté qu'il était originaire de France.

— Je ne l'ai vu qu'une fois, quand il est venu chez nous apporter les clés. Mon père et lui se sont soûlés comme des bourriques pour fêter ça.

— Vous deviez être tout jeune à l'époque.

— Cinq ou six ans. Mais il y a des choses qu'on n'oublie pas.

Mr Simmons grogna en signe d'assentiment,

klaxonnant un soûlard qui traversait la rue en tanguant. Sherwood Street défila tranquillement derrière les vitres. Après l'animation régnant dans sa partie nord, autour des hôpitaux, la rue s'installait dans un élégant abandon, étirant son ruban lisse entre de petits immeubles décrépits.

— J'ai été vraiment épaté par sa maigreur, reprit Danny. Je me souviens d'une plaisanterie de mon père, prétendant que tout ce qu'il fallait à Pascal comme pantalon, c'étaient deux grands macaronis bouillis.

— C'est bien ça. Un cuisinier filiforme. C'est drôle, hein ? Comme un coiffeur chauve.

Mr Simmons changea de file. Des pneus crissèrent derrière lui, un klaxon protesta en beuglant.

— Qu'est-ce qu'il a à râler, celui-là ? s'étonna Mr Simmons d'un ton chagrin. La circulation empire de jour en jour, dans cette ville !

Levant le majeur, il adressa ce bras d'honneur modèle réduit à l'automobiliste qui le dépassait à pleins gaz.

— Vous disiez, Dano ?

— Oui. Pascal y est allé de sa petite larme…

— Ça arrive, ces choses-là, avec l'âge.

— Et puis il a lâché tout d'un coup qu'il avait jamais mis les pieds en France, lui qui racontait depuis toujours qu'il venait de là-bas. Parce que c'était le seul moyen de se faire respecter dans cette ville — pour un Canadien français. Ça et l'argent.

Mr Simmons fonça pour passer à l'orange au carrefour de Carlton Street. Danny ne put s'empêcher de se retourner pour jeter au passage un coup d'œil à la vitrine de la gargote paternelle. Il aperçut dans le parc celle que son père appelait la dame aux pigeons, en train

de leur jeter des miettes de pain d'un geste machinal.
Gamin, il venait là s'amuser à pourchasser les pigeons
— alors moins nombreux — et à semer la panique chez
les mouettes en jouant aux cow-boys et aux Indiens avec
ses amis. Seuls les Indiens mouraient, dans leurs jeux ;
les cow-boys pouvaient juste être blessés au bras quand
on leur tirait dessus, la règle le précisait bien.

— Voyez-vous, Dano, fit Mr Simmons avec un coup
d'œil dans le rétroviseur, ce que vous dites là, ça signifie
que Pascal, il avait pas compris qu'en affaires les grandes
pointures c'est comme les bonnes devises : ça n'a pas
vraiment de nationalité.

Danny approuva d'un hochement de tête, l'œil
de nouveau attiré par le tableau de bord : souple et
gracieux, le lion en plastique venait d'avancer d'un pas.

L'innocence de l'âge,
traduit de l'anglais par Katia Holmes
Extrait reproduit avec l'aimable autorisation de l'auteur.

EN POÉSIE

ÉMILE NELLIGAN

Le spasme de vivre

Naufragé de la vie, prophète de son propre malheur, poète rimbaldien qui a « sombré dans la mer des Étoiles », le Montréalais Émile Nelligan (1879-1941) a écrit l'essentiel de son œuvre entre dix-sept et vingt ans. En tout, quelque deux cents poèmes fulgurants, réunis sous le titre Le récital des anges. *Atteint de schizophrénie, le poète québécois le plus populaire a passé plus de quarante ans dans un asile psychiatrique. À l'égal de nos tricolores « sanglots longs des violons de l'automne », le poème qui suit est connu de tous les Québécois. Il a été mis en musique avec succès par Claude Léveillée dans les années soixante et a été enregistré en 1975 par Monique Leyrac, qui a consacré à Nelligan tout un album, où l'on retrouve également le célèbre « Vaisseau d'or ».*

SOIR D'HIVER

Ah! comme la neige a neigé!
Ma vitre est un jardin de givre.
Ah! comme la neige a neigé!
Qu'est-ce que le spasme de vivre
À la douleur que j'ai, que j'ai!

Tous les étangs gisent gelés,
Mon âme est noire : où vis-je ? où vais-je ?
Tous ses espoirs gisent gelés :
Je suis la nouvelle Norvège
D'où les blonds ciels s'en sont allés.

Pleurez, oiseaux de février,
Au sinistre frisson des choses,
Pleurez, oiseaux de février,
Pleurez mes pleurs, pleurez mes roses,
Aux branches du genévrier.

Ah ! comme la neige a neigé !
Ma vitre est un jardin de givre.
Ah ! comme la neige a neigé !
Qu'est-ce que le spasme de vivre
À tout l'ennui que j'ai, que j'ai !...

Poésies en version originale
(Publié par les Éditions Triptyques)

GASTON MIRON

Le « québécanthrope »

Plus que tout autre, Gaston Miron (1928-1996) a été le chantre de « ce pays qui ne finit pas de naître », c'est-à-dire le Québec. Poète engagé, il a ardemment défendu la langue française en terre nord-américaine et a œuvré au développement d'une littérature francophone autonome. Son œuvre majeure reste L'homme rapaillé, *publié en 1970, et immédiatement célébrée par la critique et le public. La même année, lors de la grande crise politique d'octobre, les sympathies de ce « québécanthrope » pour le Front de libération du Québec (FLQ) lui valurent plusieurs jours de prison. En québécois, « rapaillé » signifie rassembler ce qui est épars. Le poème qui suit a consacré Miron comme le grand poète national du Québec, avec son aîné, le Montréalais Émile Nelligan.*

COMPAGNON DES AMÉRIQUES

Compagnon des Amériques
Québec ma terre amère ma terre amande
ma patrie d'haleine dans la touffe des vents
j'ai de toi la difficile et poignante présence
avec une large blessure d'espace au front
dans une vivante agonie de roseaux au visage

je parle avec les mots noueux de nos endurances
nous avons soif de toutes les eaux du monde
nous avons faim de toutes les terres du monde
dans la liberté criée de débris d'embâcle
nos feux de position s'allument vers le large
l'aïeule prière à nos doigts défaillante
la pauvreté luisant comme des fers à nos chevilles

mais cargue-moi en toi pays, cargue-moi
et marche au rompt le cœur de tes écorces tendres
marche à l'arête de tes dures plaies d'érosion
marche à tes pas réveillés des sommeils d'ornières
et marche à ta force épissure des bras à ton sol

mais chante plus haut l'amour en moi, chante
je me ferai passion de ta face
je me ferai porteur de ton espérance
veilleur, guetteur, coureur, haleur de ton avènement
un homme de ton réquisitoire
un homme de ta patience raboteuse et varlopeuse
un homme de ta commisération infinie
          l'homme artériel de tes gigues
dans le poitrail effervescent de tes poudreries
dans la grande artillerie de tes couleurs d'automne
dans tes hanches de montagnes
dans l'accord comète de tes plaines
dans l'artésienne vigueur de tes villes
devant toutes les litanies
          de chats-huants qui huent dans la lune
devant toutes les compromissions en peaux de vison
devant les héros de la bonne conscience

les émancipés malingres
        les insectes des belles manières
devant tous les commandeurs de ton exploitation
de ta chair à pavé
        de ta sueur à gages

mais donne la main à toutes les rencontres, pays
toi qui apparais
        par tous les chemins défoncés de ton histoire
aux hommes debout dans l'horizon de la justice
qui te saluent
salut à toi territoire de ma poésie
salut les hommes et les femmes
des pères et mères de l'aventure

« Compagnons des Amériques », *L'homme rapaillé*
© Éditions Typo
et succession Gaston Miron (Emmanuelle Miron)

BLAISE CENDRARS

La généreuse nature de Winnipeg

Entre l'écriture de son chef-d'œuvre Moravagine *et la
publication du roman d'aventures* L'Or, *Blaise Cendrars, le
bourlingueur manchot, publie* Kodak. *Sous-titré « documen-
taire », ce recueil de poèmes est en fait un vaste collage de
textes empruntés à son ami, le romancier populaire Gustave
Le Rouge, en 1924. À l'exception notable du poème que
voici, écrit de la main même de Cendrars, avant d'embar-
quer pour le Brésil.*

LE NORD

I. PRINTEMPS

Le printemps canadien a une vigueur et une puissance
que l'on ne trouve dans aucun autre pays du monde
Sous la couche épaisse des neiges et des glaces
Soudainement
La généreuse nature
Touffes de violettes blanches bleues et roses
Orchidées tournesols lis tigrés
Dans les vénérables avenues d'érables de frênes noirs
et de bouleaux
Les oiseaux volent et chantent

Dans les taillis recouverts de bourgeons et de pousses
neuves et tendres
Le gai soleil est couleur réglisse

En bordure de la route s'étendent sur une longueur de
plus de cinq milles les bois et les cultures
C'est un des plus vastes domaines du district de
Winnipeg
Au milieu s'élève une ferme solidement construite en
pierres de taille et qui a des allures de gentilhommière
C'est là que vit mon bon ami Coulon
Levé avant le jour il chevauche de ferme en ferme
monté sur une haute jument isabelle
Les pattes de son bonnet de peau de lièvre flottent
sur ses épaules
Œil noir et sourcils broussailleux
Tout guilleret
La pipe sur le menton

La nuit est brumeuse et froide
Un furieux vent d'ouest fait gémir les sapins élastiques
et les mélèzes
Une petite lueur va s'élargissant
Un brasier crépite
L'incendie qui couvait dévore les buissons et les
brindilles
Le vent tumultueux apporte des bouquets d'arbres
résineux
Coup sur coup d'immenses torches flambent
L'incendie tourne l'horizon avec une imposante lenteur
Troncs blancs et troncs noirs s'ensanglantent
Dôme de fumée chocolat d'où un million d'étincelles

de flammèches jaillissent en tournoyant très haut et très bas

Derrière ce rideau de flammes on aperçoit des grandes ombres qui se tordent et s'abattent

Des coups de cognée retentissent

Un âcre brouillard s'étend sur la forêt incandescente que l'équipe des bûcherons circonscrit

II. CAMPAGNE

Paysage magnifique

Verdoyantes forêts de sapins de hêtres de châtaigniers coupées de florissantes cultures de blé d'avoine de sarrasin de chanvre

Tout respire l'abondance

Le pays d'ailleurs est absolument désert

À peine rencontre-t-on par-ci par-là un paysan conduisant une charrette de fourrage

Dans le lointain les bouleaux sont comme des colonnes d'argent

III. PÊCHE ET CHASSE

Canards sauvages pilets sarcelles oies vanneaux outardes

Coqs de bruyère grives

Lièvres arctiques perdrix de neige ptamigans

Saumons truites arc-en-ciel anguilles

Gigantesques brochets et écrevisses d'une saveur particulièrement exquise

La carabine en bandoulière
Le bowie-knife à la ceinture
Le chasseur et le peau-rouge plient sous le poids du gibier
Chapelets de ramiers de perdrix rouges

Paon sauvage
Dindon des prairies
Et même un grand aigle blanc et roux descendu des nuages.

Poésies complètes, avec 41 poèmes inédits
© Éditions Denoël 1947, 1963, 2001, 2005
© Miriam Cendrars, 1961

Winnipeg est la capitale de la province du Manitoba, et la huitième ville, par sa population, du Canada. À la fin du XIXe siècle y fut créée une importante bourse de cotation du cours des céréales, toujours en activité.
Né à Toronto, le chanteur-guitariste Neil Young y a vécu avant de partir pour la Californie, et entamer sa carrière de future rock star.

LUDOVIC JANVIER

La boule immense du Saint-Laurent

*Poète et nouvelliste discret, d'origine anglo-haïtienne,
Ludovic Janvier (née en 1934) rend ici hommage à la
terrasse Dufferin, un belvédère prolongé par une longue
promenade, située au cœur du Vieux-Québec à deux pas du
Château Frontenac, au pied de la Citadelle. Son nom vient
de Lord Dufferin, gouverneur général du Canada à la fin du
XIXᵉ siècle. C'est également là que s'élève le monument de
bronze dédié à Samuel de Champlain, fondateur de la ville
de Québec en 1608, gouverneur de la Nouvelle-France et
découvreur des Grands Lacs.*

JE ME SOUVIENS

Je me souviens
Devise du Québec

À Québec les cris d'enfant taillent des routes dans le ciel
depuis le clair balcon de la terrasse Dufferin
dont les planches continuent à vibrer sous les pas
on dirait un ponton qui s'éternise à l'ancre
nez tourné vers la boule immense du Saint-Laurent

tu fixes l'eau large où sont couchées forêts et brumes
encore une fois tu désespères de bien voir
avec ces yeux jamais assez grands pour l'ailleurs

et comme s'il fallait à l'instant pour toujours déhaler
du château Frontenac au toit de cuivre vert-de-gris
quitter le monde et sa pluie fine oublier la statue
avec dessus écrit Brouage et debout dans le vent
dos au fleuve Champlain l'aveugle indiquant le Québec

criard un oiseau te lie à la dérive
des nuages en marche depuis la mer
quand tu es seul à savoir que Brouage
avec ce nom qu'on remue doucement dans la bouche
Brouage est ce carré de ville miniature
tiré aux quatre coins de ses remparts
où tu te revois debout entre l'air et les toits
prêt à partir aveuglé par d'absurdes larmes
pour la campagne saumâtre aux couleurs de Saintonge
debout vers le printemps en murmurant *Je me souviens*

Doucement avec l'ange
© Éditions Gallimard, 2001

« Je me souviens » est la devise officielle du Québec,
depuis 1939. Elle a été inscrite une première fois à la
fin du XIXe siècle sur la façade du Parlement du Québec.
Imaginée par l'architecte Étienne-Eugène Taché, elle n'est
en fait qu'une citation tronquée. Il faudrait lire : « Je me
souviens que, né sous le lys, je croîs sous la rose ». C'est-à-
dire : « Je n'oublie pas que je suis né sous l'autorité de la
France royale, mais que je grandis sous l'autorité de l'Angleterre ». Non, les Québécois n'ont toujours pas oublié
que la « belle province » a été cédée par la France au
XVIIIe siècle, puis lâchée définitivement par Napoléon Ier...
Depuis la fin des années 70, la devise figure sur les
plaques d'immatriculation des voitures.

KENNETH WHITE

De Stanley Park à Little China

*L'Écossais Kenneth White (né en 1936) est un grand
écrivain-voyageur, conteur, poète et essayiste. Du nord de
la Bretagne, où il a choisi de s'exiler, au Japon, en passant
par l'Alaska, Tahiti, le Maroc ou la Corse, l'inventeur de
la «géopoétique» a sillonné toute la planète depuis près
d'un demi-siècle. Ce concept a pour but, à travers l'écriture,
« de rétablir et d'enrichir le rapport Homme-Terre depuis
longtemps rompu ». Dans les années 90, il a séjourné en
Colombie-Britannique et a consacré à sa capitale Vancouver,
ce poème, publié en 2011.*

PORT DE VANCOUVER

D'une chambre au onzième étage de ce gratte-ciel
je peux contempler les pics de la chaîne côtière
le Grouse, le Cypress, le Seymour
bleu sombre et fumeux striés de neige

de gros cargos remontent la baie
lents, très lents
chargés de conteneurs empilés
portant les noms de Maersk, Han Jin, Cosco
jusqu'aux docks de Gastown
où de longues grues rouges balafrent l'horizon

je suis ici depuis cinq jours déjà
à sillonner la ville en tous sens
de Stanley Park à Little China
de Burrard Avenue jusqu'au vieux Skid Row

des mouettes frénétiques volent devant ma fenêtre
parfois un héron gris passe de son vol lourd
mais le plus souvent je reçois la visite d'un corbeau
qui me lance des clins d'œil complices
en arpentant mon balcon
et avec lequel je me verrais bien
engager la conversation.

Les archives du littoral,
traduit de l'anglais par Marie-Claude White
© Mercure de France, 2011

FRANÇOIS RIOUX

Soleils suspendus

La poésie québécoise est toujours aussi vivace et bien accueillie par le public, comme le montrent ces Soleils suspendus, *premier recueil du jeune François Rioux (âgé de 31 ans), originaire de la bourgade de Trois-Pistoles, en bordure du Saint-Laurent et vivant aujourd'hui à Montréal. Une succession de miniatures narratives où le quotidien échappe au banal grâce à l'enchantement du regard et à la fraîcheur des mots. En voici deux illustrations.*

7. LE JEU

J'aime ta voix douce
le lit l'hiver rien à faire
j'aime t'entendre dire
j'achète un hôtel sur Pacific Avenue
le commerce marche bien entre nous
entre les enfants là dehors dans la cour d'école
les uns perdront la foi d'autres une mitaine
on verra bien comme on dit
pour l'heure les mains cavalent
tu souris hachée menu par le store
take my hand take my pillow too
la voisine d'en dessous

aime Elvis Presley
elle le fera jouer
un peu plus fort.

∢

En marchant tu te feuillettes comme du papier bible
un pas une page des phrases de formol
les mois s'agglutinent comme la sloche[1] à zéro
on ne te retrouvera plus
tu te couches parmi les sécheuses de l'an passé
les neiges usées les rasoirs jetables
tu lèves ton verre au ciel en cendres
ton verre vide que pourtant tu gardes.

Soleils suspendus
© Le Quartanier, 2010

1. Neige fondue et boueuse.

Au cœur de l'Alberta

*Mondialement connu pour ses chansons écrites depuis les années 60 (*Suzanne, Sisters of mercy, Allelujah *dans les années 80…), le Montréalais des faubourgs de Westmount, Leonard Cohen, a commencé sa carrière par la poésie. Son premier recueil (*Let us compare mythologies*) a été publié en 1956, à l'âge de vingt-deux ans, et suivi de nombreux autres, ainsi que de romans. Le poème choisi a été composé dix ans plus tard, alors qu'il résidait provisoirement dans la vaste province de l'Alberta (plus de 600 000 km², au bord de la rivière Saskatchewan. Quelques semaines plus tard, il rejoignait New York et enregistrait son tout premier album.*

EDMONTON, ALBERTA
DÉCEMBRE 1966, 4 HEURES DU MATIN

Edmonton, Alberta, décembre 1966, 4 heures du matin.
Quand ai-je cessé de t'écrire ?
Tu es entrée dans ma chambre une centaine de fois
sous divers déguisements sari armure ou jeans
et tu demeures des heures auprès de moi
comme une femme seule dans une chambre heureuse.
J'ai chanté pour un millier de gens
et j'ai écrit une petite chanson neuve
Je crois que je vais me confier le salut de mon âme.

J'espère que tu auras assez d'argent pour l'hiver.
Je t'en enverrai dès qu'on m'aura payé.
Herbe et miel, radiateur qui chante,
ombre des ponts allongée sur la glace
du bras nord du Saskatchewan,
l'hôpital bleu glacé du ciel – ·
que tout cela nous tient douce compagnie !

(Rives – Kosko)

Poèmes et chansons
traduit de l'américain par J.-C. Icart
© Éditions Christian Bourgois

Si Leonard Cohen est le plus connu des chanteurs anglo-canadiens, il ne faut pas oublier ses cadets adeptes du rock, comme Neil Young (natif de Toronto) ou la chanteuse Alanis Morrissette, entre autres.

EXPRESSIONS

S'abrier : se couvrir, s'habiller
Asteur : de nos jours (« à cette heure »)
Brunante : crépuscule
Char : voiture
Chum : fiancé, compagnon
Crisse de câlisse, osti de câlisse : jurons populaires
Déjeuner : petit-déjeuner
Dîner : correspond à notre déjeuner
Frette : froid
Gang (au féminin) : bande, groupe d'amis
Icitte : ici
Jaser : parler, bavarder
Job : emploi, boulot. Mais toujours au féminin (*une* job)
Magasiner : faire du shopping
Niaiseux : idiot, imbécile
Nuitte : la nuit
Piastre : dollar canadien (prononcer « piasse »), en langage
    populaire
Rôtie (au féminin) : toast, pain grillé
Souper : dîner
Tabarnak ! : juron populaire (vient de « tabernacle »)
Traversier : ferry-boat
Vidange : poubelle

Le goût des chiens
Le goût du chocolat
Le goût du ciel
Le goût du cinéma
Le goût de courir
Le goût de la danse
Le goût des déserts
Le goût de l'école
Le goût de la forêt
Le goût du football
Le goût des haïku
Le goût des jardins
Le goût du jazz
Le goût de la lecture
Le goût de la marche
Le goût de la mer
Le goût des mères
Le goût de la montagne
Le goût de l'opéra
Le goût des parfums
Le goût de la pêche
Le goût de la photo
Le goût de la poésie amoureuse
Le goût du rêve
Le goût de la révolte
Le goût du rock'n'roll
Le goût de la rose
Le goût du rugby
Le goût du sexe
Le goût du tabac
Le goût du thé
Le goût du théâtre
Le goût des vampires
Le goût du vélo
Le goût des villes imaginaires
Le goût du voyage

Réalisation Pao : Dominique Guillaumin
Achevé d'imprimer
par Hérissey
à Évreux (27000)
en mai 2012.
Imprimé en France.

Dépôt légal : mai 2012
N° d'imprimeur : 118662

181601